LE NOUVEAU RAPPORT DE LA CIA

Ce rapport est issu du site Internet de la CIA
et fait partie d'un document
du « National Intelligence Council »

PRÉSENTÉ PAR ALEXANDRE ADLER

LE NOUVEAU RAPPORT DE LA CIA

Comment sera le monde en 2025 ?

Traduit de l'américain
par Claude Farny, Johan-Frédérik Hel Guedj
et Anatole Muchnik

ROBERT LAFFONT

ISBN 978-2-221-11294-6

Prologue

par Alexandre Adler

Fort du succès international de sa première édition[1], le NIC (Conseil national du renseignement des États-Unis) a récidivé en nous livrant une nouvelle réflexion sur l'avenir proche, cette fois-ci en faisant remonter la barre de cinq ans, jusqu'à 2025. Le rapport reste fidèle à la terminologie de la première tentative et prétend nous livrer des scénarios construits et alternatifs du destin immédiat de notre monde. Or, cette fidélité n'est que terminologique : en réalité, l'analyse géopolitique est de loin ici la plus importante, et c'est à celle-ci que nous avons consacré les pages de cette introduction. Avant cela, les auteurs du rapport ont aussi voulu un peu sacrifier aux préoccupations du moment en imaginant plusieurs films catastrophe qui sont autant de signaux d'alerte nécessaires à une approche globale des risques du futur, et conviennent à la grande conversion environnementale qui est en train de s'opérer à l'échelle planétaire.

C'est ainsi qu'on envisage tour à tour une hypothèse climatique dramatique, bien que peu vraisemblable, où

---

1. *Le Rapport de la CIA. Comment sera le monde en 2020 ?*, Éditions Robert Laffont, 2005.

par suite d'une explosion de la quantité de CO_2 dans l'atmosphère, on assiste à une montée des eaux à New York qui contraint à déménager Wall Street vers les hauteurs du nord de Manhattan. Le stress du manque d'eau au Sahel et le défrichement inconsidéré de la forêt amazonienne auraient, entre autres facteurs, accéléré le danger jusqu'aux rives de l'Hudson. Un peu plus vraisemblablement, on évoque aussi dans un encadré la transmission d'une maladie infectieuse sans vaccin connu de l'Afrique vers le reste du monde, hypothèse inspirée de l'apparition du virus Ebola. Et pour ne pas être en reste dans le frisson, apparaît le récit d'une montée en puissance technologique du terrorisme, tout d'abord biologique (variole, anthrax, etc.), le plus simple à mettre en œuvre et, pourquoi pas, radiologique[1], voire nucléaire en jouant des progrès de la miniaturisation des bombes. Il résulte de ces nouvelles menaces autant d'actions de veille technologique et de protection (telles que des stocks de vaccins) qu'il faudra envisager de prendre à l'avenir. Plus près et plus vraisemblable, le rapport isole quelques États qui pourraient, à l'instar de la défunte Somalie, connaître une sorte de collapsus définitif : nous citerons le Yémen, divisé religieusement à peu près à égalité entre chiites et sunnites, le Soudan, déjà largement démembré en trois entités potentielles (le nord arabe, le sud africain et chrétien, le Darfour africain et musulman), et beaucoup plus gravement l'ensemble Afghanistan/Pakistan, où se trouve « déployée » une bombe atomique en état de marche et la direction clandestine d'Al-Qaida. Les

1. La création d'une bombe radioactive à partir de déchets nucléaires qu'évoquait, dès l'an 2000, Oussama Ben Laden avec ses interlocuteurs pakistanais, à Kaboul.

problèmes de pénurie d'eau et de pétrole sont également évoqués, mais jamais en profondeur. Le rapport estime en effet que ces pénuries bien réelles seront tout de même surmontées. Une fois ces précautions posées, ce qui préoccupe avant tout nos auteurs collectifs, c'est évidemment la destinée des grands pays de la planète, la vitesse et la direction générale de leur évolution. C'est sur ce terrain que nous allons à notre tour tenter de poser un diagnostic prospectif.

Prenons donc le taureau par les cornes, et demandons-nous tout d'abord si la concentration, l'intensité et l'enchaînement des conflits dans le grand Moyen-Orient (du Maroc au Pakistan, toute la zone de culture islamique où prévaut l'alphabet arabe[1]) continueront à affecter le reste du monde vers 2025, ou plus raisonnablement vers 2010-2015, au même niveau qu'ils concentrent l'attention de la communauté internationale aujourd'hui.

Manifestement rédigé avant la grande dégringolade du prix des hydrocarbures survenue avec la crise financière mondiale dans la seconde moitié de 2008, *Le Rapport de la CIA* insiste avant tout sur la prééminence économique croissante de la région du golfe Persique. L'extinction graduelle des gisements de la mer du Nord, d'Indonésie, de Chine continentale et même de Russie ou du Venezuela devrait en effet augmenter le poids relatif des producteurs arabes et des producteurs iraniens, qui tendent à retrouver la place dominante qu'ils occupaient vers la fin des années 1950. Veine jugulaire des échanges mondiaux, la voie

1. Donc sans la Turquie, le Caucase, les Balkans, le Bangladesh ou l'Indonésie.

navigable étroite du golfe Persique deviendrait de nouveau la zone la plus sensible de la planète[1]. Ainsi, un état de guerre prolongé pourrait engendrer de gigantesques récessions globales, bien au-delà de l'impact du conflit. Réciproquement, l'importance des rentes versées aux pays producteurs par l'ensemble de l'économie mondiale – la Chine et l'Inde se joignent à présent aux pays occidentaux et au Japon – pourrait aussi avoir un effet anesthésiant sur les grands conflits locaux. C'est ainsi que le calme est vite revenu en Arabie Saoudite après l'offensive d'Al-Qaida de 2003-2004. Abstraction faite des effets de la crise actuelle qui paralyse pour l'instant l'enrichissement rapide des États et des particuliers en divisant par trois le prix du baril, la carte de fin 2008 montre que ces rentes ont aussi engendré puis accéléré les deux programmes nucléaires iranien et pakistanais – ce dernier ayant été financé à plus de 80 % par l'Arabie Saoudite et les Émirats. Elles ont également permis les rêves architecturaux pacifiques et mercantiles des cités-États de Dubaï, Qatar, Abu Dhabi et Koweït, lesquelles pourraient fort bien devenir autant de Hong-Kong, prospérant aux flancs de grosses entités encore fiévreuses sur le plan politique – Arabie Saoudite, Irak, Iran, et Pakistan –, en jouissant d'une sorte de tutelle de sécurité américaine, pour l'essentiel.

Et sans doute ces deux images contrastées (fièvres des uns, apaisement des autres) capturent-elles un pan important de la réalité, de même que l'affrontement

1. Telle une irrigation sanguine de l'ensemble du corps, les trains des pétroliers qui partent à peu près toutes les trois heures des terminaux saoudiens ou iraniens circulent ensuite dans le monde entier. Boucher cette artère vitale affecte immédiatement l'économie mondiale.

sans merci que se livrent Israéliens et Palestiniens autour de Gaza est-il aussi vrai et tangible que le relatif apaisement de Jérusalem et la franche coopération dans le « Grand Sud » face à la Jordanie, à Eilat et Akaba par exemple. Peut-on aller tout de même un peu au-delà de ce constat contradictoire, où la CIA demeure relativement prudente ?

La plus grande interrogation concerne sans aucun doute l'Iran, véritable puissance régionale en gestation. Pour mieux saisir l'actuelle ambiguïté de la politique iranienne et comprendre la place que peut revêtir l'ancienne Perse impériale demain, nous pouvons nous livrer à deux simulations de situations qui, en définitive, ne se sont pas concrétisées ni l'une ni l'autre ces cinq dernières années.

Première hypothèse : L'Iran, dont la société, très effervescente, est tournée dans ses grandes villes vers la modernité la plus affirmée, constate au lendemain du 11 septembre 2001 que ses ennemis sont les mêmes – essentiellement l'Irak de Saddam Hussein et les militaires pakistanais alliés aux talibans afghans – que ceux des États-Unis[1]. De même que Mao et Chou En-lai s'entendirent malgré leurs profondes divergences politiques au début des années 1970 où expirait la Révolution culturelle pour s'engager dans un processus de réconciliation avec les États-Unis – jugeant la menace soviétique beaucoup plus sérieuse –, de même, en Iran, les conservateurs pragmatiques de l'ancien président Rafsandjani auraient pu faire mouvement vers les

1. C'est bien en effet ce qui s'est produit à l'automne de 2001, quand Téhéran a aidé, sans états d'âme perceptibles, la conquête américaine de l'Afghanistan, après avoir puissamment soutenu l'Alliance du Nord d'Ahmed Shah Massoud.

progressistes de Khatami, encore formellement au pouvoir. Ensemble, les deux dirigeants auraient eu la faculté d'imposer le grand tournant pro-occidental de la politique iranienne, en appuyant la présence américaine à Bagdad, qui permet à des chiites pro-iraniens de gouverner le pays, mais aussi en soutenant jusqu'au bout le renversement des talibans à Kaboul, qui ouvre une voie à la mainmise territoriale d'une bonne moitié du pays par les Tadjiks de Massoud, très tournés vers Téhéran. De cette alliance pragmatique aurait résulté un apaisement et la possibilité de coopérations entre Washington et Téhéran, aboutissant notamment à une présence renforcée des Iraniens en Syrie – en alliance avec les modérés de Bachar Assad –, au Liban avec la transformation du Hezbollah en parti de gouvernement allié aux chrétiens, et même au Yémen, ou encore à Dubaï, où la population d'origine iranienne installée dans le commerce et les services représente déjà le groupe le plus important sur le plan démographique. Il va sans dire qu'un tel Iran demeurerait par ailleurs en excellents termes avec une Russie conçue par lui comme un contrepoids à l'influence américaine, et surtout avec une Turquie dont le savoir-faire entrepreneurial est aujourd'hui le seul à pouvoir déclencher le big-bang économique nécessaire à l'Iran. À terme, cette « voie chinoise » ferait de Téhéran la puissance régionale stabilisatrice de toute la zone. Elle déboucherait sur un *modus vivendi* avec l'Arabie Saoudite, rendu plus facile par une médiation américaine.

Seconde hypothèse, inverse : Nous aurions pu assister à une réconciliation spectaculaire avec Saddam Hussein, débouchant après l'entrée des Américains à Bagdad sur un Jihad unitaire, sunnites et chiites tous unis contre le grand Satan. Celui-ci aurait réuni les sunnites orphelins du parti Baas et les chiites extrêmes de Moktada Sadr, sur le modèle du front uni qui fonctionne excessivement bien au Levant entre les Palestiniens sunnites du Hamas et les chiites libanais du Hezbollah.

Mais la politique agressive des islamistes de Téhéran aurait aussi alors débouché rapidement sur un affrontement global avec les États-Unis et Israël – affrontement préparé de longue date par la faction extrémiste de l'ayatollah Mesbah Yazdi et de son disciple, l'actuel président Ahmadinejad.

On le sait, il règne en ce moment en Iran une situation qui ne ressemble ni à la première, ni non plus à la seconde de ces hypothèses, mais plutôt à un mixte hybride et très confus de chacune d'entre elles. Rafsandjani et ses amis ont en effet imposé leur sanction tacite aux efforts américains en Irak, lesquels ont aussi laissé la bride sur le cou en Irak aux chiites pro-iraniens mais modérés de l'actuel Premier ministre Nuri Maliki. Mais, parallèlement, l'Iran soutient toujours la confrontation la plus intransigeante avec Israël, donne asile à d'importants cadres d'Al-Qaida et, surtout, met les bouchées doubles en matière nucléaire, pour passer en force au risque d'une confrontation globale, et pas seulement avec Washington puisque les Israéliens, les Saoudiens et même les Russes se jugeraient immédiatement agressés. Un esprit véritablement aigu aurait pu conclure de l'échec d'un Lin Biao, appuyé discrètement par Moscou, et de la nécessité pour une Chine sortie pantelante de la catastrophique Révolution culturelle l'intérêt de rétablir des liens avec le monde. Allant plus loin encore, un esprit non moins lucide et acéré aurait compris depuis Pékin la nécessité d'un rapprochement avec Washington, compte tenu du prix trop élevé exigé par l'Union soviétique pour une réconciliation. On le sait, ce rapprochement s'opéra effectivement à très grande vitesse, grâce au génie de Henry Kissinger, qui sut accélérer le processus en le combinant avec un retrait stratégique du Vietnam, et à la vive intelligence de Chou En-lai, qui comprit tout le parti qu'il pouvait tirer de cette situation sur le plan intérieur.

Barack Obama, qui semble très désireux d'ouvrir sa présidence par un dialogue direct avec Téhéran, pourrait-il aboutir à des résultats comparables aujourd'hui ? On répondra à cette question par une affirmative prudente car, si nous continuons à filer la métaphore chinoise, il faut bien constater que ni l'homologue de Lin Biao, chef militaire discrètement prosoviétique, ni ceux de la « bande des Quatre », ni les anarcho-fascistes désireux de poursuivre jusqu'au bout la Révolution culturelle, ne sont encore tombés à Téhéran. Rien n'indique en particulier que l'éradication d'Ahmadinejad et de ses proches, dans un pays qui dispose toujours d'importantes rentes pétrolières, soit chose facile, ni que les partisans iraniens d'une alliance antioccidentale avec la Chine et la Russie aient dit leur dernier mot.

Pourtant, il me semble que trois facteurs vont dans le sens d'un compromis historique de l'Occident avec l'Iran, si toutefois celui-ci s'associe dans sa démarche à une Russie plus modérée qu'il n'y paraît.

1) La possibilité technique d'un accord de compromis avec l'Iran qui lui garantirait le droit à poursuivre ses expériences industrielles d'enrichissement de l'uranium – mais de n'en produire que de petites quantités. Téhéran devrait alors aussi livrer l'essentiel du plutonium usagé de ses centrales « pacifiques », pour être stocké en Russie ou ailleurs, sous le contrôle internatio-

nal de l'AIEA. La suspension de cette clause par l'Iran équivaudrait alors à une déclaration de guerre à la communauté internationale, et l'exposerait ainsi à de très fortes représailles.

2) Le poids relatif du facteur turc : en effet, la grande démocratie musulmane voisine défend d'ores et déjà l'Iran a minima, non sans efficacité diplomatique. Elle est aussi en train de se substituer calmement à Téhéran, dans une Syrie exsangue et de plus en plus tournée vers la paix et l'Occident salvateur. Elle peut contribuer à faire émerger en Irak un islam sunnite et moderniste, ayant rompu avec l'Arabie Saoudite. Ce dernier serait capable d'entrer en pourparlers substantiels avec la majorité chiite et pro-iranienne mais modérée du gouvernement de Bagdad dans la perspective d'un départ accéléré des États-Unis, très explicitement envisagé par Obama.

3) Enfin et surtout, le plus important facteur n'est autre que la dynamique historique que nous voyons à l'œuvre dès à présent : dans la France révolutionnaire de 1798-1799, le déjà vieux jacobinisme idéologiquement épuisé était devenu le seul obstacle sur la voie du rétablissement de la puissance internationale et intérieure du pays. De même, seul un Iran libéralisé, revenu à des ambitions plus rationnelles et toléré dans sa nouvelle place par les Occidentaux, les Russes et les Turcs, pourrait accéder au statut élevé qu'il souhaite atteindre. On ne peut par exemple simultanément ambitionner de passer, au moins sur le plan technologique, au stade nucléaire, et comploter incessamment contre Israël aux fins de détruire l'État hébreu. Ce sera l'une ou l'autre de ces options qui triomphera, mais pas une combinaison des deux. Plus vraisemblablement prévaudra

un essor libéré des idéologies meurtrières des mollahs, suivi d'une réinsertion complète de l'Iran dans le jeu réglé et autolimité par les accords internationaux des grandes puissances.

Cette évolution pourrait modifier profondément le marché pétrolier et gazier mondial. Il faut se rendre compte qu'un « sous-cartel » irano-irakien, auquel pourraient alors se joindre l'Azerbaïdjan, la Turkménie et même l'Afghanistan pour le gaz, serait à parts égales avec l'Arabie Saoudite et ses satellites arabes. L'OPEP deviendrait rapidement un duopole Téhéran-Riyad, avec la marginalisation progressive des « comiques troupiers » vénézuéliens ou libyens. Ce duopole serait sans aucun doute plus souple dans sa posture stratégique que l'actuel système où l'Arabie Saoudite domine en apparence la prise de décision, mais se révèle incapable en période de hautes eaux de faire cesser le chahut des producteurs extrémistes qui cherchent automatiquement à obtenir les prix les plus élevés, au détriment de l'économie mondiale et d'une croissance durable.

Or, comme le souligne ce rapport, le monde occidental est en train d'accomplir au même moment sa grande mutation énergétique, fondamentale pour la reprise stable de l'économie mondiale. Au-delà de l'actuelle descente en vrille, l'économie mondiale aura besoin d'un prix relativement élevé du pétrole (entre 50 et 75 dollars le baril), qui rentabilise la prospection et la recherche de carburants alternatifs, sans produire de grandes tensions inflationnistes. Le moment d'un accord mondial de stabilisation du marché pétrolier ne serait donc plus si loin, notamment grâce au nouveau « sous-cartel » Téhéran-Bagdad. Cet accord permettrait aux Saoudiens et à leurs alliés du Golfe de mieux gérer leur richesse et de se convertir peu à peu en puissances industrielles véritables, moins sensibles aux variations du marché mondial des hydrocarbures.

Mais l'émergence d'un pôle géopolitique pacificateur irano-turc englobant dans sa sphère d'influence l'Irak (tourné vers Téhéran), la Syrie (tournée vers Ankara), le Liban (partagé notamment avec la France pour les chrétiens et Israël pour les Druzes), et entraînant à plus long terme dans son sillage une partie au moins de l'Asie centrale, ne peut pas tout régler. D'autant que, comme le souligne le rapport, les États-Unis seront loin d'être le seul acteur dans la région. Le sérieux rapprochement des trois États du Maghreb avec l'Union européenne – dont la naissance de l'Union méditerranéenne voulue par la France de Nicolas Sarkozy a marqué le point de départ – semble vraisemblable. Il paraît en tout cas jouable à moyen terme, en raison du début de la transition démographique, de la culture bilingue (français et arabe) ainsi qu'occidentaliste des élites locales, et du très grand affaiblissement du socialisme autoritaire algérien au profit des forces laïques de l'armée et de la société civile, compatibles pour un projet de développement avec les entrepreneurs émergents du Maroc et de la Tunisie.

Cependant, même dans cette hypothèse optimiste, il demeurera un très grand point d'interrogation concernant un authentique arc de crise incluant l'Égypte et ses voisins, la Corne de l'Afrique, la péninsule Arabique et la vallée de l'Indus, le « Quaïdaland » véritable dont l'évolution reste très précaire. Ici, malheureusement, tout ne se résout pas par de simples actions d'ordre économique et social : le poids des idéologies du passé demeure très vif ; ainsi le peuple libyen est-il toujours gorgé d'idées xénophobes, panarabes, hostiles au développement économique en tant que tel. Rien n'indique que le tournant pragmatique qu'incarne le fils aîné de Kadhafi, Saïf Al-Islam, soit soutenable à terme, ni que la mutation catastrophique du fascisme libyen actuel en islamo-fascisme proche d'Al-Qaida ne puisse s'opérer à partir de la Cyrénaïque, la région orientale de la Libye, très influencée par les Frères musulmans égyptiens et pratiquement en insurrection depuis 2005, face au pouvoir central. Chaque jour, le nord du Soudan montre lui aussi ses potentialités répressives et déstabilisantes, notamment avec la terrifiante campagne sanglante qu'il mène au Darfour. Pour compenser la perte de son Sud africain et chrétien, le gouvernement de Khartoum propage aussi la réunion agressive de tous les ressentiments locaux contre son rival éthiopien, allié aux États-Unis. L'anarchie permanente somalienne, l'irrédentisme de certains musulmans éthiopiens, notamment somalis, oromos et danakils, la ruine complète et autoprogrammée de l'Érythrée rivale nous confrontent avec un matériau combustible considérable. Enfin, le rapport de la CIA classe lui-même le Yémen, de l'autre côté de la mer Rouge, parmi les États de la planète qui risquent bientôt l'implosion, où là aussi l'Égypte pourrait être impliquée, comme sous Nasser dans les années 1960.

Le spectacle que donne le pouvoir islamiste à Gaza, sur la frontière orientale de l'Égypte, n'est pas non plus très encourageant, pour peu que le dialogue israélo-palestinien ne poursuive jusqu'à l'enlisement complet son dépérissement actuel. Certes, l'Arabie Saoudite est parvenue à trouver les voies d'un certain apaisement interne, mais celui-ci paraît bien précaire encore, avec une jeunesse qui ressent son aliénation vis-à-vis du pouvoir politique véritable, la famille royale élargie, et l'exprime essentiellement dans le langage intégriste qui lui est le plus naturel. Or, encadrée par deux entités sédentaires géantes, les vallées du Nil et de l'Indus, la frêle péninsule bédouine manque d'unité nationale forte pour le cas où les deux régimes encore pro-occidentaux mais branlants du Caire et d'Islamabad viendraient à défaillir.

Ici, les yeux se tournent d'abord évidemment vers le Pakistan, pays de tous les dangers : ce grand État de 150 millions d'habitants, doté de la puissance nucléaire militaire, semble en effet être parvenu à un tel degré de polarisation de ses forces politiques, et même de ses territoires, qu'une explosion apparaît de plus en plus possible. Là encore, en ne reculant pas devant les effets grossissants, on peut simplifier la situation de la manière suivante. L'après-guerre a été marqué par une rafale de séparations d'États : l'Allemagne (1947), l'Empire britannique des Indes (1947), la Palestine sous mandat britannique (1947), la Corée (1948, de facto), la Chine et Taiwan (1949). Si l'Allemagne a recouvré son unité dès 1989-1990, tous les autres problèmes de partition demeurent à ce jour non résolus : aucun État palestinien en paix avec Israël n'a encore pu voir le jour ; on attend aussi, et sous quelle forme, l'implosion probable de la Corée du Nord et sa reprise par la Corée du Sud. Quant au rapprochement incontestable de Taiwan avec Pékin, celui-ci demeure toujours bien aléatoire, exposé à un brusque changement de climat en République populaire. La formule trouvée dès les années 1980 pour surmonter en Asie du Sud les effets de la partition de 1947 n'a rencontré jusqu'ici aucune concrétisation. Il s'agissait en effet de créer avec les trois nations de l'ancien « Raj » (Inde, Pakistan, Bangladesh), auxquelles se joindraient Népal, Bhoutan, Sri Lanka et Maldives, une union économique conçue sur le modèle européen, qui assouplirait peu à peu les souverainetés agressives actuelles. À terme, une unité culturelle véritable, un marché et une monnaie uniques renforceraient la puissance potentielle de tous les États du monde indien et permettraient à ses deux plus grands de réduire considérablement le fardeau de leurs budgets militaires. Par ailleurs, cette union régionale ouvrirait la voie à une véritable expansion de puissance, essentiellement économique et culturelle, qui permettrait à Delhi comme à Islamabad d'asseoir leur influence à l'échelle continentale sur toute la région de l'océan Indien, depuis l'Afrique du Sud à l'ouest jusqu'à l'Indonésie à l'est. Mais il y aurait toutefois deux grands perdants dans cette vision éthérée et optimisée du devenir de l'Asie du Sud : l'armée pakistanaise telle qu'elle est aujourd'hui, et à plus long terme, mais sans doute de manière décisive, la tendance impérialiste moderne, dissimulée au cœur du pouvoir central en Chine.

L'armée pakistanaise a toujours dominé un État incertain de son identité véritable. Outre les 50 % du budget de l'État qui lui sont alloués en permanence (soit plus de 20 % du PIB), l'armée domine aussi la police, la diplomatie et les industries d'armement du pays, dans l'acception la plus large du mot. Fort de son rôle de gendarme bien rémunéré de l'Arabie Saoudite – une brigade protège encore La Mecque, 68 % des pilotes saoudiens et 80 % des officiers de marine du royaume sont en réalité des Pakistanais détachés –, fort aussi de ses liens stratégiques avec l'armée chinoise, l'État-Major pakistanais, selon l'expression forgée dans les années 1950, « possède l'État pakistanais ». Cette entité politico-militaire n'entend pas renoncer à sa position prédominante, qui serait sacrifiée en cas de paix avec l'Inde. D'où son instrumentation du conflit au Cachemire, mais aussi son engagement précoce dans un Afghanistan qui, longtemps, fonctionna comme allié de revers de l'Inde, au profit de tous les courants islamistes susceptibles de démanteler le nationalisme afghan, surtout pathan, initialement laïque, voire communisant[1]. À présent que les gauches pakistanaises ont effectivement remporté les élections de 2007, puis contraint à la retraite le général Parvez Musharraf un an plus tard – il est vrai au prix du sacrifice personnel tout à fait héroïque de Benazir Bhutto –, deux camps de plus en plus cohérents sont en présence : un camp pro-indien, essentiellement de gauche et laïque avec le Parti populaire (PPP) du président Asif Zardari, et un camp prosaoudien, comprenant l'essentiel de l'État-Major et une majorité des conservateurs islamisants du Punjab, réconciliée avec le nouveau chef des militaires, le général Ashfaq Kyani. Soumise à ces fortes tensions, la société pakistanaise commence à se décomposer pour de bon, et voit se dérégler la discipline interne de son armée, écartelée entre l'extrémisme de certains de ses chefs et les velléités de compromis avec les civils, l'Inde et les États-Unis, des généraux modérés, ou plutôt prudents, qui mesurent les dangers d'un quitte ou double.

Un retour de bâton d'un militarisme islamiste agressif, lequel inspire déjà les provocations anti-indiennes

1. Pour avoir trop tiré sur la corde de l'« antipakistanisme » de Kaboul, l'Inde et l'Union soviétique, étroitement alliées, ont fini par recevoir la monnaie de leur pièce : l'insurrection d'un Afghanistan panislamiste, à partir de 1980, étroitement lié, celui-là, au Pakistan.

telles que l'attentat de Bombay de décembre 2008, aurait des effets immédiats en Arabie Saoudite, et très rapides en Égypte.

L'Arabie Saoudite juge absolument fondamentale pour sa sécurité l'existence d'une force de dissuasion nucléaire pakistanaise, qu'elle a largement financée. Or, le complexe nucléaire pakistanais dont le sinistre chef Abdul Qadir Khan (A.Q.) a vite été chargé de la direction, est l'un des éléments parmi les plus fondamentalistes du pouvoir militaire global. Quand bien même certains Saoudiens marquent leur embarras face à leur encombrant et gigantesque allié, le pouvoir wahhabite de Riyad n'a pourtant pas d'autre choix que de marcher au canon, selon le vieil adage « Je suis leur chef, il faut bien que je les suive » : les « gardiens des lieux saints » se trouvent ainsi, sans l'avoir toujours voulu, à la remorque des militaires et des docteurs Folamour pakistanais.

Par ailleurs, les Pakistanais galonnés font des émules en Égypte. Depuis des années, Moubarak a partagé le pouvoir avec les Frères musulmans, leur abandonnant une part croissante de la société civile pour se concentrer sur l'armée et la police. Et, trente-cinq ans après la mort de Nasser, cette armée n'est plus laïque du tout. Le chef des services secrets, le général Omar Souleïman qui, souvent, fait office de vice-pharaon, rêve particulièrement d'une « solution pakistanaise » où l'armée détiendrait le pouvoir et coopterait à ses côtés des Frères musulmans pour les ministères sociaux et culturels. Souleïman n'a-t-il pas déjà engagé un véritable dialogue, entrecoupé de livraisons d'armes clandestines, avec le mouvement Hamas, installé à Gaza, qu'il se garde bien de combattre ? Il va de soi que l'Égypte, qui a dû renoncer à poursuivre son propre programme nucléaire en signant les accords avec Israël de 1978 à Camp David, est également très intéressée à un dialogue fructueux avec le complexe militaro-industriel pakistanais. Compte tenu des relations étroites entre les familles Moubarak et Kadhafi, on peut même penser qu'une partie des efforts nucléaires de la Libye, actuellement interrompus sous la pression américaine, s'effectuaient au bénéfice commun des deux États. Une Égypte islamisée aurait une influence immédiate et dangereuse sur le Soudan, sur Gaza, sur la Libye (un des fils de Kadhafi est en fait un général égyptien formé au Caire), sur la Corne de l'Afrique mais aussi, bien entendu, sur l'Arabie Saoudite. Tout d'un coup, en effet, les extrémistes seraient confortés au Soudan comme en Palestine, les anti-Occidentaux reprendraient la haute main sur la Libye tout en devant faire face à un puissant mouvement islamiste, et enfin une coalition islamique antiéthiopienne se trouverait confortée.

Nous assisterions ainsi à la projection sur une échelle mondiale du projet califal qui fut d'abord celui d'Al-Qaida : une union de l'Égypte, de l'Arabie Saoudite et du Pakistan protalibans. Toutefois, il n'est pas impossible que ce projet se heurte à la résistance de puissantes forces modérées en Égypte voire en Arabie Saoudite, ainsi que de forces démocratiques et pro-indiennes véritables au Pakistan. Un *containment* vigilant de ce projet califal en gestation pourrait peut-être suffire à étouffer progressivement un tel bloc de forces, et à faire émerger en son sein des contradictions bientôt fatales, semblables dans leur essence aux vives oppositions d'essence nationale qui ont fait exploser dans les années 1960 le projet nassérien de République arabe unie.

Mais le facteur d'authentique complexité qui apparaît derrière ces équations moyen-orientales concerne manifestement le rôle que peut y jouer la Chine. Ce pays est en effet dans une relation d'affaires durable avec l'État pakistanais, et peu importe qui en occupe pour l'instant la place dominante, de Pékin ou d'Islamabad. La Chine a fourni au Pakistan la plupart des technologies qui lui ont permis d'accomplir son programme nucléaire. Aux portes de l'Égypte, elle a secouru le régime islamiste soudanais au bord de la faillite et lui a permis de commettre les massacres du Darfour. Elle s'intéresse déjà au pétrole libyen. La Chine, enfin, frappe avec insistance à la porte de l'Arabie Saoudite. Naguère étroitement lié à Taiwan grâce à l'entremise des vieux seigneurs de la guerre sino-musulmans alliés au Guomintang, le royaume wahhabite a acheté dès les années 1980, et via le Pakistan, des missiles chinois Dong Fang à moyenne portée, braqués sur Israël mais malheureusement pour lui aujourd'hui périmés. À présent, il encourage une présence pétrolière accrue de Pékin dans le royaume, toujours via le Pakistan mais non sans contrepartie. Ainsi, accédant à la demande saoudienne, Pékin a envoyé en 2006 des Casques bleus au Liban pour contenir le Hezbollah. C'est également grâce à la diplomatie saoudienne que Pékin a voté – contre toute attente – en faveur du premier train de sanctions contre l'Iran au Conseil de sécurité, entraînant dans son sillage la Russie de Vladimir Poutine. Le bilan du rapport saoudo-chinois est donc mitigé car l'actuelle monarchie, gardienne des lieux saints, demeure grâce à son vieux monarque Abdallah fortement orientée vers l'Occident, et surtout très inquiète de la montée en puissance de la « mollahcratie » iranienne.

Mais envisageons à présent le scénario du pire :

1) L'Iran a basculé, via notamment son alliance turque, en direction d'une réconciliation avec l'Occident, et même avec l'État d'Israël.

2) La Chine est très fortement mécontentée par l'émergence d'un protectionnisme industriel américain qui a érodé ses relations transpacifiques. Une partie de sa surcapacité industrielle actuelle a été reconvertie, comme auparavant dans le Japon des années 1930, en production militaire.

3) La Chine a fortement soutenu l'armée pakistanaise qui, une fois de plus, aura repris le pouvoir aux civils et reconquis l'Afghanistan méridional, à large majorité pathane, pour et par les talibans.

4) Face notamment à un rapprochement croissant entre l'Iran et l'Inde qui tous deux soutiennent à l'intérieur du Pakistan un mouvement sécessionniste baloutche, les militaires chinois s'inquiètent car l'insurrection baloutche menace directement la base navale chinoise de Gwadar et l'oléoduc qui à partir de celle-ci expédiera le pétrole saoudien, au-delà de l'Himalaya, dans le Xinjiang. En connectant de la sorte le pétrole arabe au réseau d'oléoducs intérieurs chinois, Pékin propose un véritable partenariat stratégique à l'Arabie Saoudite. Cet accord repose sur une quasi-exclusivité en matière pétrolière et une garantie de défense qui se substitue à la vieille alliance américaine, rendue caduque par le nouveau partenariat de Washington avec l'Iran et l'aide nucléaire que les États-Unis apportent à l'Inde (c'est en réalité déjà le cas depuis l'accord de 2006 Bush/Manmohan Singh, qui repose officiellement sur l'échange de technologies nucléaires civiles...).

5) Et, pour finir, supposons qu'en voie de radicalisation islamique, Pakistanais et Saoudiens aient apporté un concours vigoureux à une armée égyptienne présentant

avec eux quelque affinité, laquelle intervient en Libye et aussi au Soudan pour aider Khartoum à contenir la sécession du Sud et à porter le fer dans la Corne de l'Afrique contre le bastion anti-islamiste éthiopien, défendu par les États-Unis, Israël et désormais l'Inde.

Dans ce scénario, nous assisterions à l'émergence de deux coalitions, certes asymétriques mais en confrontation l'une avec l'autre, grâce au pouvoir égalisateur non seulement de l'atome, mais aussi du grand nombre présent des deux côtés. D'un côté l'Inde, Israël, la Turquie, l'Iran et l'Éthiopie, soutenus peut-être d'un peu trop loin par les États-Unis ; de l'autre le Pakistan, l'Arabie Saoudite, une Égypte élargie, soutenus, mais de beaucoup plus près, par une Chine déjà puissante mais inquiète, jouant, « à la japonaise », la carte du nationalisme militaire et xénophobe.

Rien ne rend pourtant inévitable un tel schéma cauchemardesque, et d'abord l'analyse prospective que l'on peut faire de la situation chinoise. Il n'est pas d'exemple de forte croissance entraînant l'émergence d'une importante classe moyenne qui ne se traduise pas, à terme, par une poussée de démocratie, ou à tout le moins de libéralisme politique. La Chine ne fait pas exception à cette loi tendancielle, même si cette évolution inéluctable peut être un temps obérée par une crise économique et politique qui renforce provisoirement le pouvoir centralisateur de l'État monolithique et planificateur.

Le problème peut donc être repensé de la manière suivante : comment faire pour que la Chine évite une phase planiste xénophobe et militariste de son développement afin de passer le plus vite possible à une libéralisation en bon ordre de son système politique ?

La résolution de cette contradiction est, sans nul doute, d'abord interne. La part dévolue en Chine aux salaires consommés par rapport aux profits réinvestis est à ce jour encore bien trop faible. Même la relance du marché intérieur envisagée à Pékin aujourd'hui pour faire face au ralentissement des échanges extérieurs passe encore beaucoup trop par des projets d'infrastructures et pas assez par la satisfaction de besoins pourtant considérables, notamment en matière de santé et de sécurité sociale. Est-ce bien indispensable de construire le chemin de fer le plus haut du monde, jusqu'à Lhassa, au Tibet, ou le plus grand barrage de la Terre, aux Trois Gorges, sur le fleuve Bleu, quand l'encadrement sanitaire et scolaire des campagnes se dégrade d'année en année, que le coût croissant de la santé et, à présent, de l'éducation sont facturés directement à leurs utilisateurs, lorsqu'ils habitent dans les villes ? Une telle situation fait monter jusqu'à un trillion de dollars l'épargne de précaution des ménages chinois, gênant toute relance par la consommation libre et individualisée. Il ne serait que temps de faire glisser le modèle actuel vers un État-providence moderne qui remplacerait l'ancien paternalisme du Parti-État, aujourd'hui aboli par l'exode rural et les privatisations industrielles.

La Chine doit, en outre, adopter d'urgence un programme de sauvegarde écologique comprenant quatre volets : sauvegarde des terres agricoles et hausse de leur productivité ; reboisement systématique des zones d'altitude ; construction accélérée d'une centaine de petites et moyennes centrales nucléaires avec une aide technologique venant peut-être même de la communauté internationale et, en contrepartie, une gestion multilatérale des déchets ainsi engendrés ; enfin, la substitution de nouvelles sources d'énergie à la production charbonnière.

Dans cette période cruciale, il est indispensable d'accorder des facilités économiques à la Chine, y compris de tolérer pour un temps limité son protectionnisme monétaire (créé dans les faits par une sous-évaluation du Yuan), qui enchérit et donc diminue les importations, et subventionne les exportations. Il faut donc systématiquement et prioritairement chercher à associer la Chine à la communauté internationale, particulièrement en période de crise. Sans cette approche *suractive* des problèmes chinois, il n'y aura pas en effet d'instauration des bases d'un mouvement de démocratisation sur le modèle de ce que fut la libération économique et partiellement politique au temps de Deng Xiaoping. Il faut, en d'autres termes, que de puissantes forces d'« en haut » finissent par aider les forces démocratisantes qui sourdent d'« en bas » et les fassent ainsi aboutir, non sans compromis réciproques.

Tout mouvement brusque et irréfléchi qui déstabiliserait involontairement les éléments réformistes à Pékin (aujourd'hui en particulier le Premier ministre réformateur Wen Jiabao) ne ferait que jouer le jeu des militaires et des planificateurs les plus xénophobes, tentés par l'aventure outre-mer. Car un scénario « à la Gorbatchev » est absolument exclu en Chine.

Sur le plan externe, il faut donc envisager franchement un système d'« apaisement » des tensions avec Pékin mais aussi, à la différence de la diplomatie britannique à l'endroit de l'Allemagne des années 1930 qui voulait aussi aboutir à ce résultat par les mêmes moyens d'« apaisement », il est nécessaire de préparer très clairement une ligne de défense bien visible sur la première couronne qui entoure la Chine, depuis le Japon à l'Indonésie, aux fins de contenir une agressivité éventuelle du gouvernement chinois, s'il était tenté par l'autarcie et l'autoritarisme.

Ici, la clef de l'affaire est au Japon. Si Hong-Kong joua un rôle à la dimension de la Chine populaire des années 1950-1980, et que Taiwan joue aujourd'hui le même rôle que Hong-Kong naguère dans la Chine postcommuniste, industrielle et expansionniste des années 1990-2020, c'est le Japon qui, le jour venu, assumera de plus en plus ce rôle de banquier et de chercheur technologique pour tout un continent en étroite relation avec le géant chinois et unifiera peu à peu toute l'Asie orientale en une seule « sphère de coprospérité » à dominante chinoise, depuis Séoul au nord jusqu'à Bangkok et Jakarta au sud.

En réalité, ce sont les trois sociétés insulaires – japonaise, taiwanaise et indonésienne – qui incarneront à l'avenir ce rôle géopolitique central de *containment* modéré pour assurer l'évolution libérale et pacifique du monde chinois.

Ici Taiwan nous fournit un modèle immédiat d'intelligibilité : l'île, à la fois forteresse et refuge de la Chine anticommuniste devient, grâce à l'aide des États-Unis (et plus discrètement du Japon), une puissance industrielle véritable dans les années 1970 et 1980. L'instauration de la démocratie va permettre à la majorité insulaire de peu à peu dominer la scène politique dans les années 1980 et 1990, au détriment des élites exilées provenant du continent, pour aboutir à la victoire durable du Parti progressiste indépendantiste à la fin des années 1990, très hostile à l'idée de toute réunification avec la Chine. Mais les investissements croissants des capitalistes locaux sur le continent changent peu à peu la donne, faisant de la croissance chinoise le facteur principal de la prospérité taiwanaise. Cette nouvelle économie politique entraîne progressivement l'érosion du parti indépendantiste et permet un retour au pouvoir du Guomintang, dont le mandat de gestion populaire est de trouver un arrangement diplomatique avec Pékin : il devra préserver tout à la fois la prospérité et la liberté de mouvement, sinon l'indépendance totale de l'île. La réussite de la stratégie du nouveau président taiwanais Ma Ying-Jeou aura par conséquent des conséquences immenses pour le destin de la Chine tout entière.

Les vingt millions de Taiwanais ont en effet un poids démographique tout à fait négligeable face à une Chine de 1,3 milliard d'habitants. Mais l'addition du PIB de Taiwan, de celui de Hong-Kong, de Macao et de Singapour, ainsi que celui du secteur privé de l'industrie et des services en République populaire, et enfin des avoirs de la diaspora chinoise en Asie du Sud-Est (par exemple 83 % de la capitalisation boursière en Indonésie, 75 % de la richesse produite annuellement par la Malaisie) pèsent aujourd'hui davantage que les ressources encore étatisées du pouvoir central. Autrement dit, le levier taiwanais devient stratégique dans l'orientation future de la Chine, combiné à d'autres forces de tendance libérale en République populaire qui nourrissent aujourd'hui, sans états d'âme, son développement.

Si aujourd'hui le Japon peut se tenir à l'écart de l'aimant chinois, ce sont pourtant déjà ses exportations en hypercroissance dans la République populaire qui ont sorti Tokyo de sa dépression déflationniste vers 2002-2005. Demain l'influence économique de la Chine sur le destin le plus essentiel de l'archipel nippon (pour ne pas parler de celui d'une Corée, réunifiée ou non) créera, notamment chez les industriels japonais en quête de débouchés, un parti prochinois structurel[1]. C'est ce parti virtuel, déjà, qui a conduit le Japon à différer indéfiniment le projet d'« alliance des démocraties » Inde-Australie-Japon, conçu à Washington pour contenir militairement l'expansion inévitable de la Chine. Toutefois, le refus japonais (mais aussi taiwanais, philippin et indonésien) d'accepter de jouer aux échecs avec Pékin sur instigation américaine ne signifie pas que Tokyo ait renoncé au plus subtil et au moins meurtrier jeu de go (*Weïchi* en chinois). Là, il ne s'agit plus de contrer systématiquement Pékin, mais bien de le contraindre à s'assouplir et à se démilitariser, à reconnaître d'abord l'existence de réalités extérieures au pouvoir central chinois d'essence impériale qui peuvent tout aussi bien collaborer efficacement à la prospérité générale que se tendre en défensive pour contrer les décisions éventuellement hostiles de Pékin. Il pourrait en résulter l'émergence au sommet du pouvoir pékinois d'hommes prêts à tirer les conséquences de cette réalité semi-extérieure sur le plan intérieur, pour décentraliser progressivement la Chine et y faire dépérir, à terme, un pouvoir impérial excessif, inefficace mais pourtant menaçant.

Contre son acceptation de devenir la banque, le laboratoire de recherche et l'usine d'assemblage de l'économie chinoise, Taiwan aujourd'hui, le Japon demain, sont à même de faire évoluer le géant pékinois vers une forme originale de démocratie asiatique, où la décentralisation chinoise sera peu ou prou l'équivalent des abandons de souveraineté intereuropéens depuis 1950. Mouvement de long terme, certes. Mais l'amorce décisive, l'équivalent des efforts de Jean Monnet de 1948 à 1954, viendra au

1. C'est pour la première fois en 2008 que la valeur des exportations japonaises en Chine dépasse celle des exportations vers les États-Unis.

contraire très vite dans le cas asiatique. Pour dire les choses de manière un peu simplificatrice mais, à tout le moins, compréhensible, il existe en Chine une connexion intime entre la dictature intérieure et l'aventurisme extérieur. La première ne supporte pas l'existence de modèles originaux taiwanais, voire hongkongais, ou demain tibétain, au sein de la République populaire ; le second se nourrit de l'isolement proclamé de la Chine, et bâtit sur le nationalisme chinois xénophobe et agressif le rejet des partenaires les plus proches, Taïwan, Corée, et surtout Japon. La solution passe donc ici par la formation d'une communauté économique asiatique avec Taiwan, le Japon, la Corée, le Vietnam, et pour finir ses propres classes moyennes aujourd'hui aliénées, qui deviendront la base de soutien la plus large d'une telle coopération régionale en gestation.

La crise mondiale de 2008, avec le premier sommet financier de la Chine, du Japon et de la Corée, semble d'ailleurs avoir donné le coup d'envoi à une synergie délibérée des banques centrales, qui devrait aller de l'avant au plus vite, jusqu'à constituer un grand espace économique commun.

Nous avions isolé un cercle vicieux né dans le cœur islamiste de la vieille Égypte, Al-Azhar, la faculté de théologie musulmane du Caire. Ce cercle se propage potentiellement de la manière suivante : du Caire à l'ensemble du système politique égyptien (phase 1) ; de l'Égypte à toutes ses frontières (Libye post-Kadhafi, Soudan, Gaza aux mains du Hamas (phase 2) ; de l'ensemble égyptien à l'Arabie Saoudite, progressivement paupérisée par la baisse du prix des hydrocarbures (phase 3) ; de la cour saoudienne à l'État-Major pakistanais rongé par l'islamisme, le ressentiment face au développement accéléré de l'Inde et la méfiance envers sa propre société civile aux aspirations clairement démocratiques (phase 4) ; d'un Pakistan enfin militarisé enfin à son protecteur chinois, lui-même en proie au doute en raison de la fermeture progressive du marché américain et de l'insuffisante souplesse du Japon et de Taiwan à son égard (phase 5).

Or, ce schéma effrayant peut fort heureusement être parcouru en sens inverse, au moins jusqu'à un certain point. Une Chine bien encadrée par un Japon ferme mais bienveillant peut s'ouvrir tout d'abord à Taiwan ainsi qu'à sa diaspora – ce qui est déjà en bonne voie –, par suite aller au-devant des aspirations de ses propres classes moyennes avec un vrai développement social du marché intérieur (le plus grand de la Terre, potentiellement) et à un début de démocratie, d'abord pilotée par en haut (phase 1). Une telle Chine, où le facteur militaire et géostratégique connaîtra un relatif déclin par rapport aux exigences du nouveau développement démocratique, pourra consentir, moyennant concessions (statut de Gwadar au Pakistan, acheminement terrestre du pétrole du Golfe), à un rapprochement spectaculaire du Pakistan et de l'Inde (phase 2). Un Pakistan démocratisé peut, comme cela se produit en ce moment même en Turquie, trouver un *modus vivendi* raisonnable avec son armée, laquelle isolera spontanément les islamistes violents (phase 3). Un Pakistan, adouci et consolidé sur le plan démocratique, sera l'allié, dans une Arabie Saoudite où son influence ne peut que s'étendre, des courants modérés qui existent évidemment dans le royaume des lieux saints et cherchent difficilement des partenaires extérieurs, vu l'effacement progressif des États-Unis dans la région (phase 4). Une telle Arabie Saoudite cessera progressivement de subventionner les Frères musulmans égyptiens, le Hamas palestinien et les esclavagistes soudanais pour miser sur une détente en Égypte même et une entente rapide entre Israéliens et Palestiniens qui marginalisera progressivement le Hamas. Si les phases 3 et 4 sont hélas les moins faciles à enclencher, les phases 1 et 2 paraissent déjà beaucoup plus à portée de main de la communauté internationale et des forces progressistes à l'œuvre en Asie.

La pacification progressive de l'axe Moyen-Orient-Pakistan-Chine-Japon permet alors de s'orienter vers des scénarios plus tranquilles pour le reste de la planète. Pour autant, il faut ici souligner ce paradoxe positif : si la grande guerre peut être évitée sur cet axe, nous aurons alors un relâchement spontané des tensions militaires ailleurs sur la planète, lequel pourrait produire les effets géopolitiques les plus importants et les plus durables.

Quelles sont les parties du monde plus ou moins à l'abri du grand axe de crise ?

1) Les Amériques, pour peu que les États-Unis ne soient pas trop vite précipités dans des conflits régionaux, de la Libye à la Corée, en passant par la Palestine, le golfe Persique ou l'Afghanistan.

2) Les Europes pourvu qu'elles intègrent Maghreb et Turquie à leur économie politique, et parviennent à assagir la Russie, qui en fait partie intégrante.

3) Les Afriques, dont l'éveil incontestable aiguise aussi les appétits de conquête des autres puissances émergentes (notamment de la Chine, de l'Inde et du Brésil). C'est là que se situe l'élément le plus mobile et le plus productif de notre nouveau monde.

Commençons ici par la fin : l'Afrique, ou plutôt les Afriques.

La peur exagérée d'une pénurie de matières premières a aiguisé l'intérêt de la Chine pour le continent noir, où elle semble vouloir entreprendre une sorte de « recolonisation » à son profit : voisine de la Chine, la Corée du Sud vient par exemple d'acheter une immense zone de défrichement à l'État de Madagascar, afin d'y assurer sa sécurité alimentaire future en y développant cultures de riz et de céréales, ainsi qu'un élevage intensif. L'Angola vend déjà plus de 60 % de sa production pétrolière à la Chine, et bientôt sans doute Pékin s'intéressera-t-il de près aux ressources d'hydrocarbures du Nigeria, à l'uranium du Niger pour ses centrales nucléaires, voire aux produits d'exportation d'agricultures africaines que les Chinois aimeraient rendre plus intensives. Tout n'est évidemment pas mauvais dans ce processus de « recolonisation », car les sociétés africaines ont besoin d'une présence extérieure qui accélère le développement des infrastructures et de protecteurs qui les entraînent, sans les humilier pour autant, vers le monde de la modernité économique. La Chine est mieux pourvue dans ce domaine, sur le plan humain en tout cas, que la vieille Europe.

Le principal concurrent de la Chine en Afrique ne risque-t-il pas dans ces conditions de devenir tout simplement l'Inde ? En effet, les besoins et les aptitudes de l'Asie du Sud sont en gros les mêmes que ceux de la Chine en Afrique. Or, la connaissance intime du continent par les marchands indo-pakistanais et la qualité des réseaux commerciaux qu'ils organisent sont infiniment meilleurs, en tout cas sur la façade orientale du continent noir.

Car, on l'oublie un peu trop, de Durban, en Afrique du Sud, à Nairobi, capitale du Kenya, c'est le capitalisme d'une puissante et habile diaspora indo-pakistanaise (dans l'ensemble unie économiquement et culturellement) qui irrigue toute l'économie. En Afrique du Sud, les plus grandes fortunes sont indiennes, la capitalisation boursière des Indiens dépasse celle des Blancs et la présence politique des communautés d'Asie du Sud dans l'ANC considérable. Le constat demeure le même dans toute l'Afrique orientale, jusqu'aux confins de l'Ouganda et du Soudan. C'est le legs véritable d'un Gandhi, qui commença sa carrière d'homme politique et d'avocat à Johannesbourg. On observera que cette vaste zone sud-est africaine est largement engagée en Ouganda, en Éthiopie et au Sud du Soudan notamment dans un affrontement explicite avec l'islamisme local, héritier des puissances maritimes et commerçantes, thalassocraties d'Oman et du Yémen, ainsi que de l'expansionnisme égyptien, ce qui accroît encore les affinités de toute la région avec l'Inde moderne. Il y a fort à parier que l'axe Afrique du Sud-Kenya-Inde fonctionnera de plus en plus à l'avenir, soutenu par un ambitieux programme naval de Delhi qui vise à contrôler la quasi-totalité de l'océan Indien, telle la Grande-Bretagne naguère.

Symétriquement, sur la face atlantique, un Brésil qui, certes, vient de découvrir le fantastique gisement pétrolier sous-marin de Santos, ne cesse cependant de s'intéresser à un Angola métissé qui partage avec lui la langue portugaise, et devient peu à peu la puissance régionale de référence de toute l'Afrique-Équatoriale, tenant à bout de bras l'actuel régime congolo-zaïrois. Le mécontentement des Angolais vis-à-vis de leurs récents tuteurs chinois laisse présager d'une présence accrue du Brésil sur l'autre rive de l'Atlantique. Mais si les Indiens dominent les réseaux commerciaux de la façade orientale, les rives occidentales, de Dakar à Pointe-Noire, ont été irriguées depuis longtemps par les hommes d'affaires syro-libanais, tant chrétiens que chiites, qui eux aussi auront leur mot à dire dans le partage des richesses et l'accélération de la croissance du continent noir.

Les vieilles puissances européennes – France et Grande-Bretagne – n'ont pas non plus dit leur dernier mot dans toute l'Afrique occidentale, malgré un affaiblissement certain. Or, face à un géant aboulique tel que le Nigeria qui vit un mariage de convenance malheureux avec la société Royal-Dutch-Shell, les tentatives chinoises ont quelques chances d'aboutir, de même que dans le grand vide étatique du bassin du Congo auquel la Chine s'intéresse depuis longtemps. Ce déséquilibre entre l'Est de l'Afrique, de culture britannique et couvert par l'influence de deux grands États proches, l'Afrique du Sud et l'Inde, et l'Ouest, au contraire de plus en plus anarchique, où l'influence chinoise peut s'exercer à moindre coût politique, est un phénomène très frappant. Et en Afrique atlantique comme ailleurs, la nature a horreur du vide. Seule une politique tenace des puissances européennes, fondée sur une entente franco-britannique totale et un rôle croissant pour le Brésil, peut véritablement répondre à un défi chinois qui, ici, ne présente pas que des inconvénients pour les sociétés africaines, lesquelles, à terme, ont intérêt à mettre leurs différents partenaires en concurrence.

Il y a ensuite une étonnante symétrie entre les deux continents – l'Europe et l'Amérique – qui, ensemble, constituent encore l'Occident. En 1989, leur structure était toute simple et parfaitement parallèle : un centre et une périphérie. Premier centre, l'Amérique du Nord anglo-saxonne, étendue à l'Australie. Second centre, l'Europe de l'Ouest. Ces deux centres sont reliés étroitement entre eux par l'OTAN sur le plan stratégique, par la place de Londres sur le plan financier. Première périphérie : une Amérique latine effervescente qui hésite à s'engager derrière les États-Unis, comme elle hésite tout autant à les affronter. Seconde périphérie : l'ancien Empire soviétique (et la Yougoslavie), explosés sur le plan territorial et asphyxiés sur le plan économique. En vingt ans de transformations accélérées, cette réalité est devenue beaucoup plus complexe. À la périphérie est apparue, dans les deux cas, une zone de transition en voie d'assimilation par le centre où l'on discerne une « intégration positive », Pologne et Europe centrale, par rapport à l'Europe occidentale, Mexique et Caraïbes pour l'Amérique.

Mais, parallèlement, on voit bien l'émergence d'une « intégration négative », véritable front pionnier violent qui requiert certaines formes de pacification – Balkans pour les Européens, Caraïbe méridionale et andine pour les Américains (Colombie, Venezuela, Nicaragua, et toujours Cuba). À la périphérie, subsistent encore deux grands pays émergents et réfractaires à toute intégration – Russie et Brésil, aux PIB d'ailleurs assez proches – et deux partenaires de ces grandes puissances, de taille moyenne l'un et l'autre et marqués par d'importants problèmes de cohésion géopolitique, l'Ukraine et l'Argentine, ces deux paniers percés pourtant prometteurs de l'Occident.

C'est ici que la grande crise de 2008 et la transformation politique induite par l'élection d'Obama aux États-Unis, la longue marche vers une meilleure constitution européenne également, vont avoir des effets décisifs, de long terme.

Une Amérique plus métissée, où le poids d'une population autochtone hispanique en pleine croissance se fait sentir chaque jour davantage, ne pourra que s'investir davantage dans la stabilité du Mexique. Ce poids devient peu à peu un élément vital de l'économie nord-américaine, de plus en plus intégrée, sans la moindre frontière depuis Vancouver au Canada sur le Pacifique jusqu'à Cancún, au Mexique, sur la mer des Caraïbes. L'effacement de Fidel Castro et la perspective d'une levée rapide du blocus contre Cuba est également en train de bouleverser la donne. L'assèchement progressif de la manne pétrolière vénézuélienne, combiné à la victoire militaire et morale de la démocratie colombienne sur l'insurrection des FARC, commence également à pacifier le flanc sud de la zone américaine médiane. La capitale financière et intellectuelle incontestée de cette région est depuis une quinzaine d'années la métropole entièrement bilingue de Miami, véritable « ville-monde » de l'hémisphère occidental, en concurrence avec New York, Los Angeles et Mexico.

Le même phénomène peut s'observer, bien qu'amplifié, en Europe où l'élargissement de l'Union s'est opéré de manière profonde et irréversible depuis l'Estonie jusqu'à la Bulgarie. Que la Serbie ait pu subir l'ablation du Kosovo en 2007 sans repartir dans une crise violente et en préférant une adhésion mondialiste à une Europe encore en marche plutôt que l'irrédentisme villageois de ses mauvais bergers, issus de l'époque de Milošević, n'est pas non plus sans importance.

Si ces processus revêtent un certain parallélisme, en revanche deux profondes divergences affectent à présent différenciellement nos deux entités. D'une part, la différence croissante entre Russie et Brésil. D'autre part, la différence non moins profonde entre une Amérique du Nord de plus en plus centripète, de plus en plus unifiée, et une Europe occidentale centrifuge, pour l'instant bien divisée entre un centre germanique et son ouest franco-britannique.

Parmi les grands pays émergents (que l'on a surnommés, dans les organismes internationaux, le BRIC – Brésil, Russie, Inde et Chine), le Brésil est de loin le meilleur élève de la classe : une démocratie exemplaire, une gauche modérée et efficace qui constitue, avec le Parti socialiste chilien, un véritable modèle alternatif aux fariboles populistes qui plaisent encore (mais plus pour très longtemps) au Venezuela et en Argentine, un système bancaire encore peu affecté par la crise financière et qui se restructure plutôt bien, en fusionnant ses deux plus grands établissements, une économie d'avant-garde qui sait fabriquer de bons avions et de médiocres ordinateurs, tout en ayant misé avec lucidité sur les OGM en agriculture, l'éthanol dans le domaine énergétique et une urbanisation à la chinoise qui commence à résoudre « par le haut » le problème de la pauvreté rurale. Un cauchemar pour altermondialistes, masqué par un carnaval idéologique permanent.

Cette orientation stratégique fait consensus depuis les conservateurs très modérés jusqu'au Parti des travailleurs de Lula. Elle pousse Brasilia à devenir le véritable centre politique de l'Amérique du Sud, et du marché commun embryonnaire qu'est encore le Mercosur, lequel porte néanmoins avec lui le destin du continent. Certes, des manifestations erratiques de populisme d'extrême gauche de plus en plus antibrésilien émergent ici ou là, en Bolivie et au Paraguay notamment, sans doute demain en Équateur, avec en équation sous-jacente l'hostilité sourde des péronistes argentins en semi-faillite frauduleuse, qui devront accepter que Buenos Aires passe la main dans ses vélleités hégémoniques continentales et consente à une position de numéro deux régional.

La Russie, au contraire, fait figure de cancre de la classe européenne, depuis que le soudain remplissage de ses caisses par une manne d'hydrocarbures a fait perdre toute modestie et toute mesure à son apprenti potentat, Vladimir Poutine, lequel mérite par ailleurs mieux que la réputation d'ogre que certains lui font en Occident, et beaucoup moins que celle de grand stratège souvent imaginée par les mêmes, dans l'ignorance de sa faiblesse intrinsèque.

Mais derrière la façade ripolinée d'un Moscou pimpant et pourtant dépressif, la Russie traîne la patte. Une démographie en déroute, une économie manufacturière incapable, malgré les coûts salariaux très bas, d'exporter autre chose que du matériel de guerre, des banques fragiles qui semblent n'avoir appris de l'Occident que les jongleries financières à haut risque qui reviennent à présent sur elles tel un boomerang. Pour terminer le tableau, un Extrême-Orient sibérien paupérisé et désert où la Chine fait son marché en technologies comme en matières premières, et sous le couvert d'un partenariat stratégique à contenu antioccidental avec Moscou, annexe progressivement la Sibérie à sa sphère économique. Bref, le pouvoir russe se rapproche dangereusement du sol quand le Brésil s'envole. D'où le paradoxe suivant : en se rapprochant discrètement de la grande stratégie américaine, le Brésil peut intelligemment s'émanciper sans rupture du pouvoir de Washington, tandis que l'irrédentisme autoritaire et obtus de la Russie actuelle est en train de créer les conditions d'une crise sévère, dont Moscou ne pourra pas se sortir sans une aide massive de l'Europe, et donc sans un rapprochement beaucoup plus marqué avec l'Allemagne, la France et même l'Angleterre.

La divergence des noyaux centraux entre eux n'est pas moins constatable. Plus encore si Barack Obama est le premier président noir de son histoire, il est surtout le premier président de l'Amérique issu de Chicago et de l'Illinois, depuis Abraham Lincoln. Chicago, c'est le cœur manufacturier, prolétaire et « patriote économique » de l'Amérique. L'Illinois et avec lui tout le Middle West aimerait tout autant réduire l'ascendant politique et intellectuel de la côte atlantique – New York, Washington et Harvard –, proeuropéenne et prompte aux acrobaties financières, que de la côte pacifique hédoniste et moderniste, qui produit les images du monde à Hollywood, les ordinateurs et les armements modernes à Seattle, tout en demeurant rivée aux bouleversements économiques de la Chine et du Japon, et réticente, pour cette raison, à une réindustrialisation véritable. Si son projet doit réussir, Obama cherchera à replier le maximum de ses forces militaires du vaste monde – avec des bases résiduelles et une escadre opérationnelle pour protéger les hydrocarbures du golfe Persique, ainsi que des garanties de sécurité sérieuses accordées à Israël et au Japon, mais sans doute plus le moindre soldat en Europe, en Corée, et même à Cuba. Priorité absolue sera alors donnée au développement économique, notamment industriel.

La crise commence a être surmontée – au moins sur le plan financier – et tout sera fait pour assurer la compétitivité de l'industrie américaine par la combinaison d'interventions de l'État (tout le système financier ne sera pas vraiment rétrocédé au marché, ni l'ensemble de l'industrie automobile), par la dépréciation progressive du dollar. Le Mexique et les Caraïbes seront préférés pour les délocalisations à la Chine et à l'Inde. L'endettement sera peu à peu réduit par des hausses sélectives d'impôts et conduira à une moindre dépendance financière vis-à-vis de la Chine (et plus généralement de l'Asie). Une ébauche de gouvernement économique continental, associant *a minima* Canada, Australie, Mexique et Colombie, pourra se mettre en place à un coût raisonnable, surtout en cas de baisse programmée de la valeur du dollar. Cette union économique pourra facilement s'entendre avec le Brésil, partenaire principal mais indépendant.

L'Europe, au contraire, se heurte à la division de ses politiques en plusieurs centres rivaux : Londres, Paris, Berlin ou Bruxelles. Sa capacité d'intervention militaire est quasi nulle. Sa force de mobilisation financière grevée par une conception très restrictive de l'offre de monnaie et de l'endettement qui prévaut aujourd'hui dans le monde germanique. De sorte que si la semi-périphérie est-européenne commence à bien s'intégrer au noyau rhénan de l'Union européenne, la véritable périphérie russe, ukrainienne, caucasienne et kazakhe, est pour l'instant abandonnée à elle-même, en pleine crise mondiale.

Pourtant, les craquements et les douleurs de l'enfantement sont bien là. L'Angleterre vient de comprendre que la splendeur de la City est derrière elle et que la nouvelle Amérique ne la considère plus comme son partenaire privilégié, dans une Europe qui devient davantage un concurrent économique qu'un allié géopolitique. L'Europe centrale perdra peu à peu sa peur – certes historiquement fondée – d'une Russie qui ne sera pourtant plus jamais expansionniste, faute de ressources humaines et financières, et la Russie elle-même viendra bientôt demander du secours au reste de l'Europe, en avalant sa fierté excessive. Demeurera alors l'isolationnisme qui ne dit pas son nom : celui-ci vient du cœur même de l'Europe, de l'Allemagne et de ses peurs sénescentes, et il ne peut pas être durable. La crise exige en effet plus de déficits, plus de volontarisme, plus de coopération de Berlin avec la France et l'Angleterre. Cela aussi viendra, et sans doute dans la foulée une autre coalition au pouvoir, productiviste, industrialiste et tournée tout autant vers Paris et Londres que vers Moscou et Kiev. Ce sera la fin véritable de l'après-guerre allemand.

La Vieille Taupe de l'Histoire inventée par Hegel n'aura effectivement pas fini de nous surprendre : une Amérique socialisante, une Europe ayant franchi allègrement la fausse barrière de l'Oural, une Asie autosuffisante et rééquilibrée, et même un Moyen-Orient où l'islamisme aura peu à peu été contenu depuis ses marches par l'émergence d'un grand Maghreb à l'ouest, d'une solide alliance turco-iranienne à l'Est, une Inde devenant enfin la région la plus peuplée mais aussi la plus dynamique de la planète, susceptible d'entraîner le gros de l'Afrique dans son sillage. L'Histoire, décidément, n'est pas encore en voie d'achèvement. De grands combats sont encore nécessaires. Mais la perspective de modifier la dégradation climatique, de tordre le cou à la misère du Tiers-Monde et de consolider enfin la grande poussée démocratique de 1989 semble enfin à notre portée. Ce rapide coup d'œil prospectif nous incite aussi à l'action, mais nourrie par la réflexion.

Paris, décembre 2008

Avant-propos

du président du Conseil national du renseignement

Comment sera le monde en 2025 ? veut stimuler la réflexion sur le futur en cernant quelques tendances essentielles, les facteurs qui les alimentent, la direction qu'elles semblent emprunter, et leur interaction. Dans le cadre de cette étude, nous avons donc identifié quelques forces motrices : la mondialisation, la démographie, l'ascension de nouvelles puissances, le déclin de certaines institutions internationales, le changement climatique et la géopolitique de l'énergie. Nous avons cherché à comprendre les défis issus de l'interaction de ces forces et les opportunités qu'elles fourniront aux futurs décideurs. Dans l'ensemble, nous nous sommes donc plus attachés à décrire les facteurs susceptibles de modeler les événements à venir qu'à prédire ce qui risque réellement d'arriver.

En examinant un petit nombre de variables qui, selon nous, exerceront une grande influence sur les événements et les possibilités du futur, ***Comment sera le monde en 2025 ?*** propose au lecteur de repérer les indicateurs montrant l'orientation de ces événements.

Nous l'aidons aussi à cerner les opportunités d'intervention politique susceptibles de modifier ou de conforter certaines évolutions. Parmi les messages que nous espérons transmettre, retenons celui-ci : « Si l'orientation que paraissent prendre les événements répond à vos attentes, vous souhaiterez peut-être agir pour maintenir ce cap que vous jugez positif. Si l'avenir qui semble s'annoncer vous déplaît, il vous incombe de développer et de mettre en œuvre des politiques capables de rectifier le cap. » Par exemple, l'examen de la transition qui permettra de s'affranchir de la dépendance envers les combustibles fossiles montre comment les orientations choisies auront, dans certains pays, des conséquences particulières. L'autre message, encore plus important celui-là, souligne le rôle majeur du *leadership*, le fait qu'aucune tendance n'est immuable, et qu'une intervention bien préparée et planifiée au bon moment réduira d'autant le risque et la gravité de certaines évolutions négatives, et renforcera les probabilités d'évolutions positives.

Comment sera le monde en 2025 ? constitue la quatrième édition d'un travail de réflexion mené par le Conseil national du renseignement des États-Unis. Il s'agit ici d'identifier les forces et les mutations essentielles susceptibles de modeler les événements mondiaux de la décennie à venir, et au-delà. Ces nouveaux travaux ont bénéficié des enseignements que nous avons pu tirer des travaux précédents. À chaque édition de ce rapport de la CIA, nous sommes allés puiser nos informations auprès de communautés d'experts de plus en plus larges et variées.

Notre première étude, qui s'était tournée vers l'horizon 2010, reposait principalement sur des compétences propres à la communauté du renseignement américain. Cela n'avait toutefois pas empêché quelques ouvertures en direction d'autres experts, à l'intérieur des cercles gouvernementaux américains et du monde universitaire. Pour ***Le Monde en 2015***, nous avions approché des groupes d'experts plus nombreux et plus diversifiés, extérieurs à la haute administration de Washington mais qui n'en restaient pas moins, pour la majorité d'entre eux, des citoyens américains.

Pour sa troisième livraison, ***Comment sera le Monde en 2020 ?***, nous avons fortement étoffé la participation des spécialistes non-américains en réunissant six séminaires de travail sur cinq continents. Nous avons aussi tenu un plus grand nombre de réunions sur le sol américain, et sous des formes plus diversifiées. Ces séminaires nous ont permis d'améliorer notre compréhension de certaines tendances bien spécifiques et des forces qui sont à l'œuvre. Ils nous ont éclairés sur la perception de ces facteurs par les experts de différentes régions du monde.

Ces livraisons précédentes ont produit des réflexions chaque fois plus intéressantes et d'un impact toujours plus grand. En fait, les réactions au ***Rapport de la CIA. Comment sera le monde en 2020 ?*** ont été extraordinaires dans le monde entier. Ce rapport a été traduit en plusieurs langues, dont le français, il a fait l'objet de débats au sein d'instances gouvernementales, il a été étudié dans le cadre de cursus universitaires et a servi de base à des réunions sur les affaires internationales. Il a été lu avec attention et a suscité des critiques constructives d'innombrables experts, mais aussi de simples citoyens.

Forts de l'intérêt suscité par les rapports précédents et afin de mettre à contribution des cercles d'experts encore élargis, nous avons modifié notre méthode pour ***Comment sera le monde en 2025 ?***. Afin de mieux cadrer les enjeux de cette étude, nous avons renforcé encore un peu plus la participation d'experts rattachés à des ONG, tant aux États-Unis que dans d'autres pays. Nous avons aussi échangé plusieurs ébauches du rapport avec les participants au programme sur Internet. Ces premières moutures ont aussi fait l'objet de toute une série de réunions qui se sont tenues aux États-Unis et dans plusieurs autres pays. À ce jour, cette nouvelle édition du rapport de la CIA est également celle qui a généré le plus de collaborations. Et c'est ce travail en commun qui nous a permis d'améliorer encore le résultat final. Nous tenons donc à exprimer notre très grande reconnaissance aux centaines d'intervenants qui ont pris part à ce travail, en y consacrant tant de temps, d'énergie et de réflexion.

Comme c'était le cas avec les précédentes études de ces tendances planétaires qui modèleront notre avenir, le processus proprement dit et les retombées de la préparation de ***Comment sera le monde en 2025 ?*** ont revêtu autant d'importance que le produit final. Les idées et les perspectives qui se sont imposées au stade de la préparation du rapport d'étape ont enrichi le travail de nombreux analystes. Elles ont été incorporées dans plusieurs documents analytiques élaborés par le Conseil national du renseignement et d'autres agences de la communauté du renseignement. Incidemment, nous avons pu constater que, dans certains cas, elles ont aussi influencé la réflexion et le travail de quantité de participants ne travaillant pas pour le gouvernement américain. Nous sommes heureux et fiers de cette récolte, et nous espérons que cette moisson ne s'arrêtera pas là : nous attendons en effet les réactions de tous ceux qui liront ce nouveau rapport.

Beaucoup de gens ont participé à la préparation de ***Comment sera le monde en 2025 ?***, mais personne ne s'y est davantage investi que Matthew Burrows. Ses capacités intellectuelles et ses talents d'organisateur ont été essentiels à la production de ce rapport, et tous ceux qui ont pris part à cette aventure lui sont grandement redevables. Dans ses remerciements, Matthew Burrows évoque lui-même d'autres participants au projet dont les contributions ont été déterminantes. Cette liste n'est pas exhaustive. Nous n'aurions pas pu publier ***Comment sera le monde en 2025 ?*** sans le soutien de tous, et nous sommes profondément heureux des partenariats et des amitiés qui sont nés de ce travail collectif, et qui l'ont grandement facilité.

Thomas Fingar

C. Thomas Fingar
Président du Conseil national du renseignement

Certitudes relatives	Impact probable
Avec l'essor de la Chine, de l'Inde et de quelques autres pays, un système mondial multipolaire est en train d'émerger. La puissance relative des acteurs non étatiques – entreprises, groupes ethniques, organisations religieuses et même réseaux criminels – va s'accroître elle aussi.	En 2025, il n'existera plus une seule et unique « communauté internationale » composée d'États-nations. Le pouvoir sera plus dispersé, avec de nouveaux acteurs introduisant de nouvelles règles du jeu, et des risques accrus alors que les alliances occidentales traditionnelles perdront de leur force. Au lieu d'imiter les modèles de développement politique et économique occidentaux, un plus grand nombre de pays pourrait être attiré par le modèle de développement économique alternatif de la Chine.
Un transfert sans précédent de richesse et de puissance économique, orienté grosso modo de l'Occident vers l'Orient, est d'ores et déjà engagé et va se poursuivre.	Alors que certaines nations investissent davantage dans leur bien-être économique, les incitations à la stabilité géopolitique pourraient se multiplier. Toutefois, ce transfert renforce des États comme la Russie qui entendent remettre en cause l'ordre occidental.
Les États-Unis resteront le pays le plus puissant mais leur domination sera moindre.	Des moyens économiques et militaires en baisse risquent de contraindre les États-Unis à une série de compromis délicats entre leurs priorités intérieures et leurs impératifs de politique étrangère.

Une croissance économique continue – allant de pair avec 1,2 milliard d'habitants de plus en 2025 – pèsera sur les ressources énergétiques, alimentaires et en eau.	Durant cette période, le résultat de ces compromis dépendra d'un élément déterminant : le rythme de l'innovation technologique. Aucune des technologies actuelles n'est adaptée au remplacement de notre architecture énergétique traditionnelle, surtout pas à l'échelle nécessaire.
Le nombre de pays à populations jeunes, situés dans l'« arc d'instabilité[1] », ira en diminuant mais les populations de plusieurs États dotés d'une pyramide démographique à base large devraient continuer de suivre une courbe de croissance rapide.	À moins que les conditions du marché de l'emploi ne changent radicalement dans des nations connaissant un excédent démographique inquiétant, comme l'Afghanistan, le Nigeria, le Pakistan et le Yémen, ces pays sont promis à l'instabilité et à des défaillances répétées de leur structure étatique.
Le potentiel de conflits augmentera à cause de la rapidité des changements enregistrés dans certaines régions du Moyen-Orient et de la propagation des capacités militaires dans cette partie du monde.	Pour les États-Unis, la nécessité d'agir au Moyen-Orient en faveur de l'équilibre régional s'imposera de plus en plus, même si d'autres puissances extérieures – la Russie, la Chine et l'Inde – joueront un plus grand rôle qu'aujourd'hui.
D'ici à 2025, le terrorisme ne risque guère de disparaître mais si la croissance économique se confirme au Moyen-Orient et si le chômage des jeunes diminue, son attrait pourrait faiblir. La diffusion des technologies mettra certains instruments dangereux à la portée de groupes terroristes en activité.	Avec la diffusion des technologies et l'expansion des programmes – et, le cas échéant, des armes – nucléaires, les occasions d'attaques terroristes incluant des armes chimiques, biologiques ou nucléaires – hypothèse moins probable – se multiplieront, avec des victimes en masse à la clef. Dans un monde de plus en plus globalisé, les conséquences pratiques et psychologiques de telles attaques s'intensifieront.

1. Les pays à pyramide démographique à base très large et aux populations en rapide augmentation tracent un croissant, ou « arc d'instabilité », qui s'étend des régions andines de l'Amérique latine vers l'Afrique subsaharienne, le Moyen-Orient et le Caucase, et traverse les parties septentrionales de l'Asie du Sud.

Incertitudes déterminantes	**Conséquences éventuelles**
La transition énergétique du pétrole et du gaz vers de nouvelles sources – grâce à un stockage optimisé de l'énergie, aux biocarburants et au charbon pourpre – sera-t-elle achevée d'ici la date butoir 2025 ?	Avec des cours élevés du pétrole et du gaz, les principaux exportateurs comme la Russie et l'Iran verront leur puissance se renforcer notablement, le PIB de la Russie approchant celui du Royaume-Uni et de la France. À l'inverse, une chute prolongée des cours, en corrélation éventuelle avec un recours aux sources d'énergies nouvelles, pourrait entraîner un déclin dans le long terme du rôle d'acteurs mondiaux et régionaux de ces pays producteurs.
Quelle sera la vitesse du changement climatique et dans quelles régions son impact sera-t-il le plus prononcé ?	Le changement climatique va sans doute accentuer les pénuries de ressources, en particulier les pénuries d'eau.
Assistera-t-on à un retour du mercantilisme[1] et à une régression des marchés mondialisés ?	Plonger dans un monde dominé par le patriotisme économique augmente le risque de confrontations entre grandes puissances.
Des avancées démocratiques seront-elles enregistrées en Chine et en Russie ?	En Russie, en l'absence d'une diversification économique, le pluralisme politique semble moins probable. En Chine, la croissance des classes moyennes augmente les chances d'une libéralisation politique et potentiellement d'un plus grand nationalisme.
Les craintes régionales d'un Iran doté de l'arme nucléaire déclencheront-elles une course aux armements et une militarisation accrues ?	Des épisodes de conflits de faible intensité et de terrorisme se produisant sous un parapluie nucléaire pourraient conduire à une escalade non maîtrisée et à de plus larges conflits.

1. Le mercantilisme, présent en Europe du XVIe au XVIIIe siècle, fonde le développement économique des nations sur le commerce extérieur. Dans ce cadre, l'État, moteur de la richesse nationale, adopte des mesures protectionnistes (barrières tarifaires). (*N.d.T.*)

Le grand Moyen-Orient gagnera-t-il en stabilité, surtout si l'Irak se stabilise et si le conflit israélo-arabe se résout pacifiquement ?	Dans la plupart des cas de figure, les troubles devraient se multiplier. En revanche, un regain de croissance économique, un Irak plus prospère et la résolution du conflit israélo-palestinien pourraient constituer des facteurs de stabilité dans une région confrontée au renforcement de l'Iran et à une volonté générale de se tourner vers d'autres sources d'énergie que le pétrole et le gaz.
L'Europe et le Japon surmonteront-ils les défis économiques et sociaux posés ou aggravés par la démographie ?	L'intégration réussie des minorités musulmanes en Europe pourrait grossir les forces productives et éviter les crises sociales. En Europe et au Japon, l'absence d'effort pour atténuer l'ampleur des défis démographiques pourrait conduire au déclin dans le long terme.
Les puissances mondiales travailleront-elles avec les institutions multilatérales pour adapter leur structure et leurs résultats à un paysage géopolitique nouveau ?	Les puissances émergentes font preuve d'ambivalence envers les institutions internationales comme l'ONU ou le FMI, ce qui pourrait changer si elles deviennent des acteurs plus influents sur la scène mondiale. L'intégration de l'Asie pourrait générer des institutions régionales plus puissantes. L'OTAN est confrontée à plusieurs défis épineux liés à des responsabilités croissantes extérieures à sa zone d'influence et au déclin des capacités militaires européennes. Les alliances traditionnelles vont s'affaiblir.

EN RÉSUMÉ

En 2025, le **système international** – tel qu'il s'est édifié après la Seconde Guerre mondiale – sera presque méconnaissable. L'essor des puissances émergentes, une économie qui se mondialise, un transfert historique de la richesse et de la puissance économique de l'Occident vers l'Orient et l'influence croissante d'acteurs non étatiques : telles seront les causes de cette mutation. D'ici à 2025, le système international sera **planétaire et multipolaire**, et les écarts de puissance entre pays développés et pays en voie de développement continueront de se resserrer[1]. Simultanément à ce transfert de puissance entre États-nations, la puissance relative de divers acteurs non étatiques – qu'il s'agisse d'entreprises, de communautés ethniques, d'organisations religieuses, de réseaux criminels – ira croissante. Les acteurs changent mais l'ampleur et la portée de questions transnationales importantes pour le maintien de la prospérité mondiale aussi. Le vieillissement de la population dans le monde industrialisé, des contraintes de plus en plus lourdes pesant sur l'énergie, l'alimentation et l'eau, et

1. La mesure de la puissance nationale, calculée par le modèle informatique International Futures, est le produit d'un indice associant les facteurs pondérés du PIB, des dépenses militaires, de la population et de la technologie.

les inquiétudes liées au changement climatique limiteront et réduiront ce qui demeurera une période de prospérité sans précédent.

Tout au long de l'Histoire, les systèmes émergents multipolaires se sont toujours révélés plus instables que les systèmes bi ou unipolaires. En dépit de la récente volatilité financière – qui pourrait finalement accélérer de nombreuses tendances actuelles –, nous ne croyons pas nous acheminer vers un effondrement total du système international, comme en 1914-1918 quand une phase de la mondialisation s'est brusquement arrêtée. En revanche, les vingt prochaines années de transition vers un nouveau système sont semées de dangers. Les rivalités stratégiques vont plus probablement se cristalliser autour du commerce, des investissements, de l'innovation et des acquisitions technologiques mais nous ne pouvons pas exclure un scénario de course aux armements, d'expansion territoriale et de rivalités militaires, similaire à celui du XIXe siècle.

C'est une histoire sans **issue claire**, comme le montre une série d'encadrés illustratifs qui nous servent à tracer les contours de futurs divergents. Les États-Unis auront beau probablement rester l'acteur principal le plus puissant, leur puissance relative – même dans le domaine militaire – ira déclinant et leur influence n'en sera que plus restreinte. En même temps, la volonté ou la capacité des autres acteurs – étatiques ou non – d'endosser de nouvelles responsabilités demeure incertaine. Les décideurs politiques et les entités publiques seront confrontés à une demande croissante de coopération multilatérale alors que le système international sera soumis aux contraintes d'une transition inachevée de l'ordre ancien vers un nouvel ordre mondial en cours de formation.

La croissance économique alimente l'essor d'acteurs émergents

En termes de taille, de vitesse et de flux, le **transfert de la richesse et de la puissance économique mondiale** déjà engagé – grosso modo de l'Occident vers l'Orient – reste sans précédent au cours de l'histoire moderne. Cette évolution a deux origines. D'abord, la hausse des cours du pétrole et des matières premières a généré une manne de profits pour les États du golfe Persique et la Russie. Ensuite, des coûts plus faibles, associés à certaines politiques gouvernementales, ont déplacé les sites de production manufacturière et certaines industries de service vers l'Asie.

Les projections de croissance pour le Brésil, la Russie, l'Inde et la Chine – les quatre pays du BRIC – indiquent qu'ils vont égaler, à eux quatre, la part initiale du G7 dans le PIB mondial vers 2040-2050. Ces vingt prochaines années, c'est la **Chine** qui exercera plus d'impact sur le monde que tous les autres pays. Si les tendances actuelles se confirment, en 2025 Pékin aura la deuxième économie du monde et sera une puissance militaire de premier plan. Elle pourrait devenir aussi le premier importateur de ressources naturelles et le plus gros pollueur de la planète. L'**Inde** continuera sans doute de jouir d'une croissance économique rapide et défendra un monde multipolaire dont New Delhi occupera l'un des pôles. La Chine et l'Inde devront décider de la portée du rôle mondial renforcé qu'elles pourront et voudront jouer, et de la nature de leurs relations mutuelles. D'ici à 2025, la **Russie** a le potentiel nécessaire pour devenir plus riche, plus puissante et plus sûre d'elle, si elle investit dans son capital humain, si elle assure l'expansion et la diversification de son économie, et si elle sait s'intégrer sur les marchés mondiaux. À l'inverse, la Russie pourrait connaître un déclin significatif si elle ne parvient pas à entreprendre ces démarches et si les cours du pétrole et du gaz restent dans une fourchette de 50 à 70 $ le baril. Aucun autre pays n'est attendu aux niveaux de la Chine, de l'Inde ou de la Russie, et aucun ne devrait égaler leur poids respectif sur la scène planétaire. En revanche, nous nous attendons à voir croître la puissance économique et politique d'autres pays – comme l'Indonésie, l'Iran et la Turquie.

Pour l'essentiel, la Chine, l'Inde et la Russie ne suivent pas le modèle libéral occidental de développement mais recourent à un autre modèle, celui du **« capitalisme d'État »**, une formule floue employée pour décrire un système de gestion économique qui accorde un rôle prédominant à l'État. D'autres puissances émergentes – la Corée du Sud, Taiwan et Singapour – ont aussi recours au capitalisme d'État pour développer leurs économies. Toutefois, dans cette voie, l'impact de la Russie, et surtout de la Chine, est potentiellement plus grand en raison de leur taille et de leur approche de la « démocratisation ». Nous restons optimistes sur les perspectives *à long terme* d'une **plus grande démocratisation**, même si ces progrès seront sans doute lents et si la mondialisation soumet beaucoup de pays récemment démocratisés à des pressions sociales et économiques susceptibles de saper leurs institutions libérales.

Beaucoup d'autres pays vont se trouver davantage distancés au plan économique. L'**Afrique subsaharienne** restera la région la plus sensible aux perturbations économiques, aux tensions au sein des populations, aux conflits intérieurs et à l'instabilité politique. Malgré une hausse de la demande mondiale de matières premières, dont l'Afrique subsaharienne est un fournisseur de premier plan, les populations locales n'en retireront sans doute pas d'avantage économique significatif. Dans plusieurs régions, les rentes de profit générées par la hausse soutenue des cours des matières premières pourraient pousser encore plus des gouvernements corrompus ou mal structurés au repli sur soi. Ce repli réduirait d'autant les perspectives de réformes, tant au plan des institutions démocratiques que des mécanismes de l'économie de marché. Si, en 2025, beaucoup de grands pays d'**Amérique latine** seront devenus des puissances moyennes, d'autres – en particulier ceux qui, comme le Venezuela et la Bolivie, ont adopté des politiques populistes appelées à se maintenir durablement – accuseront un retard. Certains, comme Haïti, devenus encore plus ingouvernables, se seront encore appauvris. Dans l'ensemble, en matière de compétitivité économique, l'Amérique latine continuera d'être distancée par l'Asie et d'autres régions en croissance rapide.

L'Asie, l'Afrique et l'Amérique latine assureront pratiquement la totalité de la **croissance démographique** des vingt prochaines années. L'Occident ne contribuera que pour moins de 3 % à cette croissance totale. L'Europe et le Japon continueront de largement distancer les puissances émergentes de la Chine et de l'Inde au plan de la richesse par habitant, mais en raison du déclin de leurs populations en âge de travailler, ils peineront à maintenir de solides taux de croissance. Les États-Unis constitueront une exception à ce vieillissement des populations du monde développé grâce à des taux de natalité supérieurs et à une plus forte immigration. Le nombre d'immigrants cherchant à quitter des pays désavantagés pour d'autres relativement privilégiés va probablement augmenter.

Dans l'« arc d'instabilité », le nombre de pays à base démographique large – et donc avec une population très jeune – est appelé à décliner, peut-être de 40 %. Trois pays à forte expansion démographique sur quatre resteront localisés en Afrique subsaharienne, la quasi-totalité des autres seront situés au Moyen-Orient, en Asie du Sud et centrale, et dans les îles du Pacifique.

Un nouvel agenda transnational

La problématique des ressources marquera de plus en plus fortement l'agenda international. Une croissance économique mondiale sans précédent – fait positif à tant d'autres égards – continuera de peser sur un certain nombre de **ressources hautement stratégiques**, comme l'énergie, les denrées alimentaires, l'eau. Au cours de la prochaine décennie, on prévoit que la demande excédera les réserves disponibles. Par exemple, la production d'hydrocarbures liquides par les pays extérieurs à l'OPEP – pétrole brut, gaz liquide naturel, combustibles non conventionnels comme les schistes bitumineux – ne suivra pas une croissance proportionnelle à la demande. La production de pétrole et de gaz de nombreux producteurs traditionnels est déjà sur le déclin. Ailleurs – en Chine, en Inde, au Mexique –, cette production est stable. Le nombre des pays capables d'augmenter la leur de manière significative va diminuer. Enfin, la production pétrolière et gazière se concentrera dans des régions instables. En conséquence, et aussi à cause d'autres facteurs, le monde va connaître une transition énergétique fondamentale, se détournant du pétrole pour aller vers le gaz naturel, le charbon et d'autres énergies de substitution.

La Banque mondiale estime que la **demande alimentaire** augmentera de 50 % d'ici à 2030 en raison de la croissance de la population mondiale, d'une hausse du niveau de vie et de l'adoption des préférences alimentaires occidentales par des classes moyennes qui se développent. Le manque d'accès à des approvisionnements stables en eau atteint déjà des proportions critiques, en particulier pour l'agriculture, et le problème ne fera qu'empirer en raison d'une urbanisation qui s'accélère dans le monde et de la naissance d'environ 1,2 milliard d'individus au cours des vingt prochaines années. Aujourd'hui, les experts considèrent que 21 pays, représentant une population totale d'environ 600 millions d'habitants, manquent de terres arables ou d'eau douce. Du fait d'une croissance démographique ininterrompue, ce sont 36 pays, soit environ 1,4 milliard d'individus, qui devraient entrer dans cette catégorie en 2025.

On estime que le **changement climatique** aggravera la pénurie de ressources. Même si l'impact de ce changement variera selon les régions, un certain nombre d'entre elles vont en subir les effets dommageables, en particulier des pénuries d'eau et des baisses de production agricole. Avec le temps, les différences régionales en matière de production agricole seront sans doute plus prononcées, avec un déclin concentré de façon disproportionnée dans les pays en voie de développement, en particulier ceux de l'Afrique subsaharienne. Les pertes de rendement agricole devraient se multiplier avec des conséquences importantes prévues par la majorité des économistes pour la fin de ce siècle. Pour de nombreux pays en voie de développement, cette baisse de la production agricole sera désastreuse, l'agriculture comptant pour une grande part dans leur économie, et beaucoup de leurs citoyens étant proches du niveau de subsistance.

Là encore, de **nouvelles technologies** pourraient apporter des réponses, comme des solutions de rechange viables aux combustibles fossiles ou des moyens de surmonter les contraintes alimentaires et d'approvisionnement en eau. Toutefois, aucune des technologies actuelles ne permet encore de remplacer le mode traditionnel de consommation énergétique à grande échelle. Or dans ce secteur de nouvelles technologies ne seront pas répandues et commercialement viables avant 2025. Le rythme de l'innovation technologique sera donc déterminant. Même dans le cas d'une politique et d'un financement favorables aux biocarburants, au charbon propre ou à l'hydrogène, la transition vers les nouveaux combustibles sera lente. Historiquement, les technologies qui ont compté ont toujours connu un « délai d'adoption ». Dans le secteur de l'énergie, une étude récente a montré qu'il faut en moyenne vingt-cinq ans pour qu'une nouvelle technique de production soit appliquée à grande échelle.

En dépit de ce que l'on considère comme de faibles probabilités, on ne peut exclure l'éventualité d'une **transition énergétique** d'ici à 2025, ce qui épargnerait le coût d'un renouvellement des infrastructures. Au cours de cette période, les plus grandes chances d'une transition relativement rapide et peu onéreuse résident dans de meilleures sources d'énergies renouvelables – photovoltaïque et éolienne – et dans l'amélioration de la technologie des piles. Pour bon nombre de ces technologies, les coûts d'infrastructure seraient plus faibles, ce qui permettrait à beaucoup de petits acteurs économiques de développer leur propre projet énergétique servant directement leurs intérêts – à savoir des piles fixes à combustible alimentant les habitations et les bureaux, permettant le rechargement des véhicules hybrides et la revente d'énergie sur le réseau électrique. De même, les programmes de conversion énergétique – comme les projets de production d'hydrogène pour les voitures à partir de l'électricité – pourraient éviter d'avoir à développer des infrastructures complexes de transport de l'hydrogène.

Les perspectives en matière de terrorisme, de conflits et de prolifération nucléaire

Même si les problématiques énergétiques revêtiront plus d'importance dans l'agenda international, le terrorisme, la prolifération nucléaire et la gestion des conflits resteront des préoccupations centrales. En 2025, il est peu probable que le terrorisme ait disparu, mais si la croissance économique est au rendez-vous et si le chômage des jeunes s'atténue au Moyen-Orient, son attrait pourrait diminuer d'autant. Des opportunités économiques pour la jeunesse et un plus grand pluralisme politique dissuaderaient probablement certains de rejoindre les rangs des terroristes, mais d'autres – motivés par une série de facteurs, comme le désir de revanche ou de se transformer en « martyrs » – continueront de recourir à la violence afin de poursuivre leurs objectifs.

En l'absence d'emplois et de moyens légaux d'expression politique, les conditions du mécontentement, d'un radicalisme croissant et d'un possible recrutement de la jeunesse au sein de **groupes terroristes** seront réunies. En 2025, les groupes terroristes seront vraisemblablement les descendants de groupes établis de longue date – les héritiers de structures organisées, de protocoles de commandement et de contrôle, de procédures d'entraînement indispensables à la conduite d'attaques sophistiquées. Mais il s'agira aussi de groupes apparus plus récemment composés d'individus en colère, privés de leurs droits politiques et qui se seront radicalisés. Pour les groupes terroristes actifs en 2025, la diffusion des technologies et des connaissances scientifiques mettra les armes les plus dangereuses à leur portée. L'une de nos plus grandes inquiétudes concerne toujours l'acquisition et l'emploi d'agents biologiques par des groupes terroristes ou malveillants ou, hypothèse moins vraisemblable, celle d'un engin nucléaire, dans le but de faire des victimes en masse.

Bien que l'acquisition de l'arme nucléaire par Téhéran ne soit pas inévitable, d'autres pays s'inquiètent d'un **Iran** doté d'une force de frappe. Une telle évolution pourrait conduire des États de la région à développer de nouveaux dispositifs de sécurité en collaboration avec des puissances extérieures, à l'acquisition d'armements supplémentaires, et à envisager la poursuite de leurs propres ambitions nucléaires. Il n'est pas évident que l'équilibre des forces né de la dissuasion, qui prévalait entre les grandes puissances durant presque toute la Guerre froide, puisse se réaliser naturellement au Moyen-Orient avec un Iran doté d'une arme nucléaire. Si des limites claires n'étaient pas établies entre les États impliqués, des épisodes de conflit de faible intensité survenant sous le parapluie nucléaire pourraient conduire à l'escalade et à des conflits plus vastes.

Nous jugeons peu probable que des **conflits idéologiques** similaires à ceux de la Guerre froide puissent prendre racine dans un monde où la plupart des États seront surtout préoccupés par les défis pragmatiques de la mondialisation et par la nouvelle donne entre les puissances mondiales. La force de l'idéologie sera sans doute plus marquée dans le monde musulman – en particulier dans son noyau arabe. Dans les pays qui devront se débattre avec un boom démographique et de faibles performances économiques – comme le Pakistan, l'Afghanistan, le Nigeria et le Yémen –, la tendance salafite radicale de l'islam va vraisemblablement prendre un certain ascendant.

Des types de **conflits** que nous n'avions plus vus depuis longtemps – portant notamment sur les ressources naturelles – pourraient réapparaître. La peur de souffrir d'un manque de produits énergétiques va pousser certains pays à prendre des mesures leur permettant d'avoir accès aux approvisionnements en énergie. Dans le pire des cas, il pourrait en résulter des conflits entre États, par exemple si des chefs de gouvernement jugeaient l'accès aux sources d'énergie essentiel au maintien de la stabilité intérieure et à la survie de leur régime. Toutefois, même sans aller jusqu'à la guerre, certaines décisions auront des conséquences géopolitiques importantes. Les inquiétudes sur la sécurité maritime justifient une intensification des efforts en matière de présence et de modernisation du secteur naval, comme le développement par la Chine et l'Inde de capacités navales de haute mer. Ce renforcement naval militaire à l'échelon régional pourrait conduire à des tensions accrues, à des rivalités et à des initiatives prises pour y faire contrepoids. Il créera aussi des opportunités de coopération multinationale pour la protection de routes maritimes vitales. L'eau devenant plus rare en Asie et au Moyen-Orient, la coopération dans la gestion de ressources deviendra sans doute plus difficile, tant au sein des nations qu'entre États.

Au cours des vingt prochaines années, le risque d'un **recours à l'arme nucléaire** reste toujours très faible, mais il sera sûrement plus marqué qu'aujourd'hui en raison de plusieurs tendances convergentes. La propagation des technologies et des compétences nucléaires suscite des inquiétudes sur l'émergence potentielle d'États dotés de l'arme atomique et l'acquisition de matériels nucléaires par des groupes terroristes. La récurrence d'affrontements de faible intensité entre le Pakistan et l'Inde fait planer le spectre d'une escalade vers un conflit plus large entre ces deux puissances nucléaires. La possibilité d'un changement de régime aux effets perturbateurs, ou d'un effondrement survenant dans un État doté de la force de frappe, comme la Corée du Nord, pose aussi la question de l'aptitude d'États faibles à contrôler et à sécuriser leurs arsenaux nucléaires.

Si des armes nucléaires étaient employées au cours des quinze à vingt prochaines années, le système international en serait violemment déstabilisé car il en subirait les répercussions immédiates, humanitaires, économiques et politico-militaires. L'usage de l'arme nucléaire introduirait certainement des changements géopolitiques conséquents car certains États chercheraient, pour assurer leur sécurité, à nouer ou à renforcer des alliances avec des puissances nucléaires existantes et d'autres pousseraient au désarmement nucléaire mondial.

Un système international plus complexe

La tendance à une diffusion plus large de l'autorité et du pouvoir que celle que l'on a pu constater ces dernières décennies va sûrement s'accélérer du fait de l'émergence de nouveaux acteurs planétaires, de l'aggravation du déficit institutionnel, de l'expansion potentielle des blocs régionaux et du renforcement des acteurs et des réseaux non étatiques. Sur la scène mondiale, la multiplicité des acteurs pourrait renforcer le système international – en comblant les vides laissés par des institutions vieillissantes de l'après-Seconde Guerre mondiale – ou au contraire davantage le fragmenter et entraver la coopération entre nations. Ces vingt prochaines années, la **diversité des types d'acteurs** accentuera la probabilité d'une fragmentation, en particulier si l'on tient compte de la vaste panoplie de défis transnationaux auxquels est confrontée la communauté internationale.

Les puissances croissantes du BRIC ne risquent guère de défier le système mondial comme l'ont fait l'Allemagne et le Japon aux XIXe et XXe siècles. Mais leur poids géopolitique et économique grandissant leur donnera une plus grande liberté de trouver leurs propres modèles politiques et économiques au lieu d'adopter les modèles occidentaux. Ils voudront sans doute aussi préserver leur liberté de manœuvre politique, laissant d'autres porter l'essentiel du fardeau que représente le traitement de problèmes comme le terrorisme, le changement climatique, la prolifération nucléaire et la sécurité énergétique.

Les institutions multilatérales existantes – trop vastes et trop pesantes et qui ont été conçues pour un ordre géopolitique différent – auront du mal à s'adapter rapidement à de nouvelles missions, à intégrer de nouveaux adhérents et à augmenter leurs ressources.

Les **organisations non gouvernementales** (ONG) – centrées sur des questions spécifiques – feront de plus en plus partie du paysage planétaire. Toutefois, en l'absence d'efforts concertés de la part des institutions multilatérales ou des gouvernements, ces réseaux d'ONG se verront probablement bridés dans leur capacité à apporter le changement. Des tentatives de plus grande ouverture – reflétant l'émergence de nouvelles puissances – compliqueront la tâche des organisations internationales face aux défis transnationaux. Le respect des conceptions divergentes des nations membres continuera de modeler l'agenda des organisations et limitera les types de solutions qu'elles pourraient mettre en œuvre.

Un **régionalisme asiatique** plus prononcé – peut-être dès 2025 – aurait des implications à l'échelle mondiale, déclenchant ou renforçant des tendances au commerce et regroupements financiers entre trois quasi-blocs : Amérique du Nord, Europe et Asie orientale. L'instauration de ces quasi-blocs aurait des implications sur l'aptitude à conclure de futurs accords dans le cadre de l'Organisation mondiale du commerce (OMC). Des conglomérats régionaux pourraient entrer dans la compétition en fixant des normes transrégionales pour les produits dans les secteurs des technologies de l'information, de la biotechnologie, des nanotechnologies, des droits de propriété intellectuelle et d'autres aspects de la « nouvelle économie ». Inversement, l'absence de coopération régionale en Asie pourrait accroître la compétition entre la Chine, l'Inde et le Japon autour de ressources naturelles comme l'énergie.

La **prolifération des identités politiques** ajoute à la complexité de ces chevauchements de rôles entre États, institutions et acteurs non étatiques. Cette prolifération conduit à la création de nouveaux réseaux et à la redécouverte de certaines communautés. Dans les sociétés de 2025, aucune identité politique ne devrait avoir un rôle dominant. Les réseaux fondés sur la religion pourraient acquérir une dimension importante et exercer une influence plus marquante que des groupements séculiers sur des questions transnationales telles que l'environnement et les inégalités.

Les États-Unis : une puissance moins dominante

En 2025, les États-Unis ne seront plus qu'un des acteurs importants parmi d'autres sur la scène mondiale, même s'ils resteront le plus puissant de tous, y compris dans le domaine militaire où Washington continuera d'avoir un avantage considérable. Les progrès des autres nations dans les secteurs de la science et de la technologie, l'adoption de plus en plus répandue de tactiques de la guerre irrégulière, tant par les États que par des protagonistes non étatiques, la prolifération d'armes de précision à longue portée et le recours de plus en plus fréquent à des opérations de guerre cybernétique restreindront la liberté d'action de l'Amérique. Ce rôle plus limité des États-Unis aura des implications pour tous et réduira les chances de voir les nouvelles problématiques traitées avec efficacité. Malgré le développement récent de l'antiaméricanisme, les États-Unis ne cesseront sans doute pas d'être perçus comme un contrepoids régional indispensable au Moyen-Orient et en Asie. Ainsi, on attendra toujours de l'Amérique qu'elle joue un grand rôle en usant de sa puissance militaire pour contrer le terrorisme mondial. Sur les nouvelles questions comme le changement climatique, le rôle de Washington sera largement perçu comme majeur, le seul moyen de permettre de dégager des solutions communes entre des points de vue divergents. En même temps, la multiplicité des acteurs influents et la méfiance envers les grandes puissances permettra moins à l'Amérique de trancher, sans l'aide de partenaires puissants. D'autres changements dans le reste du monde, notamment des évolutions intérieures dans certains États clefs – en particulier la Chine et la Russie – seront aussi sans doute des facteurs déterminants de la politique de Washington.

2025 – Quel genre d'avenir ?

Les tendances énumérées plus haut suggèrent des **discontinuités**, des chocs et des surprises majeurs que nous mettrons en avant tout au long de ce livre – comme par exemple le recours aux armes nucléaires ou l'éclatement d'une pandémie. Dans certains cas, l'élément de surprise tiendra uniquement au ***timing*** : par exemple, une transition énergétique est inévitable mais les seules questions qui se posent sont de savoir quand elle se produira et si elle s'imposera brutalement ou en douceur. La transition d'un type de carburant – les combustibles fossiles – à un autre – une solution alternative – est un événement qui n'est arrivé qu'une fois par siècle, tout au plus, et chaque fois avec des conséquences d'envergure. La transition du bois au charbon a poussé à l'industrialisation. Une transition – en particulier si elle est brutale – qui nous détournerait des combustibles fossiles entraînerait des répercussions majeures pour les producteurs d'énergie du Moyen-Orient et d'Eurasie. Elle pourrait entraîner le déclin permanent de certains États et leur faire perdre leur statut de puissances mondiales et régionales.

D'autres discontinuités sont prévisibles qui résulteront vraisemblablement de la conjugaison de plusieurs tendances et dépendront de la qualité des équipes dirigeantes au pouvoir. Nous rangeons les incertitudes sur la démocratisation de la Chine et de la Russie dans cette catégorie. L'expansion des classes moyennes chinoises en accroît les chances sans rendre une telle évolution inévitable. En Russie, en l'absence de diversification économique, le pluralisme politique semble moins probable. Les pressions sociales peuvent forcer les choses, ou un dirigeant pourrait entamer ou étendre un processus de démocratisation afin de soutenir l'économie ou de favoriser la croissance. Une chute prolongée des cours du pétrole et du gaz modifierait le paysage et renforcerait les perspectives d'une plus grande libéralisation politique et économique de la Russie. Si l'un ou l'autre de ces deux grands pays devait se démocratiser, une nouvelle vague de démocratisations pourrait s'ensuivre dans beaucoup d'autres États en développement.

L'issue des défis démographiques auxquels sont confrontés l'Europe, le Japon et même la Russie n'est pas moins **incertaine**. Dans aucun de ces cas de figure le fléchissement de la démographie ne représente une fatalité entraînant une baisse du pouvoir régional et mondial. La technologie, le rôle de l'immigration, les améliorations dans le domaine de la santé publique et des lois encourageant une plus grande participation des femmes dans l'économie sont quelques-unes des mesures susceptibles d'infléchir les tendances actuelles, toutes orientées vers une croissance économique plus faible, des tensions sociales accrues et un possible déclin.

L'adaptation et la renaissance des institutions internationales – autre facteur crucial d'incertitude – sont aussi fonction de la qualité des équipes dirigeantes. Les évolutions actuelles laissent penser qu'une dissémination du pouvoir et de l'autorité engendrera un déficit de gouvernance à l'échelle mondiale. Le renversement de ces tendances exigerait de la communauté internationale qu'elle se dote d'une direction politique forte autour d'un certain nombre de puissances, y compris parmi les pays émergents.

Certaines incertitudes – si elles devaient se concrétiser – auraient de plus vastes conséquences que d'autres. Nous voulons mettre ici l'accent sur le potentiel de conflits majeurs – qui, sous certaines formes, pourraient menacer la mondialisation. Nous placerons le terrorisme recourant à des armes de destruction massive et la course aux armements nucléaires au Moyen-Orient dans cette catégorie. Ces incertitudes majeures et leur impact éventuel sont abordés dans l'ouvrage, mais aussi résumés dans les encadrés des pages 52-53. Dans les quatre scénarios abordés, nous avons mis en évidence de nouveaux défis pouvant naître de la transformation du monde qui est en cours. Ils sont porteurs de cas de figure nouveaux, de dilemmes ou de situations délicates qui tranchent avec certaines évolutions récentes. Dans l'ensemble, ils ne couvrent cependant pas tous les futurs possibles. **Aucune de ces situations inédites n'est inévitable ou même nécessairement vraisemblable** mais, comme pour beaucoup d'autres incertitudes, ces scénarios pourraient changer la donne.

• Dans ***Un monde sans Occident***, les nouvelles puissances supplantent les sociétés occidentales et occupent le devant de la scène mondiale.

• ***La surprise d'octobre*** illustre l'impact du manque d'attention portée au changement climatique planétaire ; certaines conséquences majeures et inattendues restreignent la palette des choix dont dispose la planète.

• Dans ***La rupture entre les pays du BRIC***, les querelles autour des ressources vitales deviennent une source de conflit entre des puissances de premier plan – en l'occurrence, deux poids lourds parmi les pays émergents : l'Inde et la Chine.

• Dans ***La politique n'est pas toujours une affaire locale***, des réseaux non étatiques font leur apparition et imposent leur agenda international sur l'environnement en éclipsant les gouvernements.

Introduction

UNE MUTATION PLANÉTAIRE

En 2025, le système international – tel qu'il s'est construit après la Seconde Guerre mondiale – sera devenu presque méconnaissable. En fait, la formule « système international » est impropre, car ce dernier sera sans doute plus précaire qu'ordonné, et sa composition sera hybride et hétérogène – un stade de maturation cohérent avec une période de transition qui, en 2025, ne sera pas arrivée à son terme. Cette transformation sera alimentée par une économie en pleine mondialisation, marquée par un transfert historique de la richesse et de la puissance économique de l'Occident vers l'Orient, ainsi que par le poids accru de nouveaux acteurs – essentiellement la Chine et l'Inde. Les États-Unis resteront le protagoniste le plus important, mais ils ne seront plus aussi dominants qu'aujourd'hui. Comme les États-Unis au XIXe et au XXe siècle, la Chine et l'Inde manifesteront parfois leur réticence et d'autres fois leur impatience à assumer un rôle plus actif sur la scène mondiale. En 2025, ces deux nations auront toujours pour souci principal d'assurer leur développement intérieur, plus que celui de transformer le système international.

Simultanément à ce transfert entre États-nations, la puissance **relative** de divers acteurs non étatiques – parmi lesquels des entreprises, des communautés ethniques, des organisations religieuses et même des réseaux criminels – continuera de se renforcer. Des mafias pourraient même « s'emparer » de plusieurs pays et les gouverner. En Afrique ou en Asie du Sud, certains États risquent de se déliter en raison de l'inaptitude de leurs gouvernements à assurer les besoins élémentaires, notamment la sécurité, de leurs citoyens.

En 2025, de nombreux acteurs viendront rejoindre les États-nations au sein de la communauté internationale et celle-ci ne sera pas capable de définir une conception d'ensemble de gouvernance mondiale. Le « système » sera multipolaire, avec quantité de sous-ensembles composés d'acteurs étatiques et non étatiques. Des dispositifs internationaux multipolaires – comme le Concert européen – ont déjà existé par le passé, mais celui qui est en train de naître est sans précédent, car il est planétaire et comprend acteurs étatiques et non étatiques, qui ne sont pas regroupés dans des camps rivaux de poids sensiblement équivalent. Les caractéristiques les plus évidentes de ce « nouvel ordre » seront le passage d'un monde unipolaire dominé par les États-Unis à une hiérarchie relativement déstructurée de vieilles puissances et de nations émergentes, et l'érosion relative de la puissance des États au profit d'acteurs non étatiques.

« … nous ne croyons pas nous diriger vers un effondrement complet [du système international] […]. En revanche, les vingt prochaines années de transition vers un nouveau système seront périlleuses… »

L'Histoire nous enseigne que les changements rapides sont porteurs de nombreux dangers. En dépit de la récente volatilité du système financier qui pourrait finalement accélérer nombre de tendances en cours, nous ne croyons pas nous diriger vers un effondrement complet du système international, comme en 1914-1918, quand une phase précédente de la mondialisation s'est brusquement arrêtée. En revanche, les vingt prochaines années de transition vers un nouveau système sont semées de dangers – plus que nous ne l'envisagions dans ***Comment sera le monde en 2020 ?***[1], élaboré en 2004. Parmi ceux-ci, citons la probabilité de plus en plus forte d'une course aux armements nucléaires au Moyen-Orient et de possibles conflits interétatiques pour le contrôle des ressources naturelles. L'ampleur des questions internationales réclamant attention s'élargira pour inclure des problématiques telles que les contraintes énergétiques, l'alimentation et l'eau, ainsi que les inquiétudes portant sur le changement climatique. Pour l'heure, les institutions internationales susceptibles d'aider le monde à traiter ces questions transnationales et, plus généralement, à atténuer les risques liés à des changements rapides, semblent incapables, faute d'efforts concertés de leurs dirigeants, de se montrer à la hauteur de ces défis.

1. Voir *Le Rapport de la CIA. Comment sera le monde en 2020 ?*, Conseil national du renseignement, décembre 2004, Éditions Robert Laffont, 2005.

***Brève comparaison entre* Comment sera le monde en 2020 ? *et* Comment sera le monde en 2025 ?**

La différence la plus spectaculaire entre **Comment sera le monde en 2020 ?** et **Comment sera le monde en 2025 ?** tient à l'hypothèse centrale de ce dernier rapport, celle d'un avenir multipolaire, et des changements radicaux qu'il engendrera dans le système international. L'édition 2025 décrit un monde dans lequel les États-Unis jouent un rôle éminent dans les événements mondiaux, mais où ils ne sont plus que l'un des protagonistes capables d'aborder ces problèmes. Par contraste, le rapport 2020 prévoyait une domination pérenne de l'Amérique, en partant du principe que la majorité des autres puissances avaient renoncé à contrebalancer le poids et l'influence des États-Unis.

Les deux rapports diffèrent aussi dans leur traitement de l'offre et de la demande d'énergie, et des nouvelles sources alternatives. Dans le rapport 2020, on considérait que « le total des ressources d'énergie serait suffisant pour répondre à la demande mondiale ». L'incertitude cependant demeurait sur l'éventualité que l'instabilité politique des pays producteurs, d'éventuelles ruptures d'approvisionnement ou la concurrence dans l'accès aux ressources puissent nuire aux marchés pétroliers internationaux. Si le rapport 2020 mentionnait une hausse mondiale de la consommation énergétique, il mettait l'accent sur la domination des combustibles fossiles. En revanche, le rapport 2025 place plutôt le monde à mi-chemin d'une transition vers des combustibles plus propres. Il prévoit que de nouvelles technologies pourraient permettre de créer des produits remplaçant les combustibles fossiles et des solutions à la pénurie d'eau et de denrées alimentaires. Le rapport 2020 admettait que la demande en énergie influencerait les relations entre les superpuissances, mais le rapport 2025 considère l'effet de rareté énergétique comme un facteur déterminant de la géopolitique.

Les projections des deux rapports concordent sur une croissance économique mondiale soutenue – alimentée par l'essor du Brésil, de la Russie, de l'Inde et de la Chine, en l'absence de chocs majeurs. Le rapport 2025 insiste toutefois sur la forte probabilité de discontinuités majeures, en soulignant qu'« aucune problématique ne semble réglée d'avance » et que les vingt prochaines années de la transition vers un nouveau système international sont semées de dangers, comme une course aux armements nucléaires au Moyen-Orient et de possibles conflits entre États autour de la question des ressources.

Les scénarios des deux rapports traitent de l'avenir de la mondialisation, de la structure future du système international et des divisions entre des groupes qui seront des causes de conflits ou de convergence. Dans ces deux éditions successives, la mondialisation est perçue comme un moteur omniprésent au point de redéfinir les divisions actuelles, fondées sur la géographie, les groupes ethniques ou les statuts religieux ou socio-économique.

Plus de changements que de continuité

Un ordre international en mutation rapide, dans une période de défis géopolitiques renforcés, accroît la probabilité de discontinuités, de chocs et de surprises.

Aucune problématique ne semble réglée d'avance : le modèle occidental qui associe libéralisme économique, démocratie et laïcité, par exemple, que beaucoup jugeaient inévitable, pourrait perdre de son éclat – tout au moins à moyen terme.

Dans certains cas, l'élément de surprise se résume à une incertitude de calendrier : ainsi, on le sait, une transition énergétique est inévitable ; les seules questions qui se posent sont de savoir quand cette transition interviendra, et si elle s'imposera brutalement ou en douceur. D'autres discontinuités sont moins prévisibles. En admettant que ce qui semble peu plausible aujourd'hui pourrait devenir possible, voire vraisemblable en 2025, nous avons examiné un certain nombre d'évolutions « chocs ». Citons notamment l'impact planétaire d'un marché des armes nucléaires, un remplacement rapide des combustibles fossiles et une Chine « démocratique ».

De nouvelles technologies pourraient apporter des solutions, comme des alternatives viables aux combustibles fossiles ou les moyens de surmonter certaines pénuries de denrées alimentaires ou d'eau. L'une de nos incertitudes principales tient aux nouvelles technologies : seront-elles développées et commercialisées à temps pour prévenir un ralentissement économique significatif dû à ces manques de ressources ? Un tel ralentissement compromettrait l'ascension de nouvelles puissances et porterait un coup sérieux aux aspirations de pays qui ne sont pas encore pleinement partie prenante de la mondialisation. Un monde où prédomineraient les pénuries provoquerait des comportements différents de ceux d'un monde où celles-ci seraient surmontées grâce à la technologie ou par d'autres moyens.

Des futurs alternatifs

Cette étude est organisée en sept parties :

1. Une économie qui se mondialise
2. La démographie de la discorde
3. Les nouveaux acteurs
4. La rareté au milieu de l'abondance ?
5. Des risques de conflits en hausse
6. Le système international sera-t-il à la hauteur de ces défis ?
7. Le partage du pouvoir dans un monde multipolaire

Comme dans nos précédents travaux, nous décrirons les différentes hypothèses qui pourraient résulter des tendances que nous étudions[1]. Nous voyons les quinze à vingt prochaines années comme l'un de ces grands tournants historiques où des facteurs multiples entreront sans doute en jeu. L'interaction de ces facteurs et le rôle des équipes dirigeantes seront déterminants pour l'avenir.

En échafaudant ces scénarios, nous nous sommes concentrés sur les incertitudes cruciales concernant le poids relatif des États-nations par rapport aux acteurs non étatiques, et le niveau de coopération planétaire. Dans certains de ces scénarios, les États occupent une position dominante et sont les moteurs de la dynamique planétaire ; dans d'autres, des acteurs non étatiques,

1. Voir *Le Monde en 2015. Dialogue sur le futur avec des experts non gouvernementaux*, Conseil national du renseignement, décembre 2000 et *Le Rapport de la CIA. Comment sera le monde en 2020 ?*, Conseil national du renseignement, décembre 2004, Éditions Robert Laffont, 2005.

qu'il s'agisse de mouvements religieux, d'organisations non gouvernementales ou d'individus détenant des pouvoirs hors norme, jouent un rôle plus important. Dans certains cas, des acteurs clés agissent au sein de groupes concurrents, à travers des partenariats et des allégeances transfrontalières. D'autres scénarios envisagent une interdépendance accrue, avec des protagonistes autonomes opérant de manière indépendante et entrant parfois en conflit les uns avec les autres.

Dans tous ces **scénarios-fictions**, nous mettons l'accent sur les défis qui pourraient naître de la transformation mondiale en cours. Ces récits présentent des situations, des dilemmes ou des impasses susceptibles de perturber le paysage planétaire, et ils nous conduisent vers des mondes très différents. **Aucune de ces hypothèses n'est inévitable ni même probable** ; mais, aux côtés d'autres incertitudes, elles sont susceptibles de changer la donne.

Un monde sans Occident. Dans ce monde-là, que décrit une lettre fictive d'un futur chef de l'Organisation de coopération de Shanghai (OCS), de nouvelles puissances supplantent l'Occident aux commandes de la scène mondiale. S'estimant incapables de faire face, les États-Unis se retirent d'Asie centrale, y compris d'Afghanistan. L'Europe ne prend pas le relais et n'occupe pas la première place. La Russie, la Chine et d'autres sont contraints de gérer des risques de débordements territoriaux et d'instabilité en Asie centrale. L'Organisation de coopération de Shanghai prend l'ascendant, alors que l'OTAN voit son statut décliner. Aux États-Unis et en Europe, l'animosité envers la Chine ne cesse de monter. Des barrières commerciales protectionnistes sont mises en place. La Russie et la Chine concluent un mariage de raison ; d'autres pays – l'Inde et l'Iran – se rallient à elles. L'absence d'un bloc stable – soit en Occident, soit dans le monde non occidental – aggrave l'instabilité et le désordre qui constituent autant de menaces potentielles pesant sur la mondialisation.

***La surprise d'octobre*[1].** Dans ce monde, dépeint par une entrée du journal personnel d'un futur président des États-Unis, de nombreux pays ont donné priorité à la croissance économique au détriment de la sauvegarde de l'environnement. La communauté scientifique a été incapable d'émettre des avertissements précis, et l'on craint de plus en plus qu'un point de non-retour soit atteint, au-delà duquel le changement climatique s'accélère. Ses conséquences sont particulièrement destructrices. L'une d'entre elles est un ouragan majeur qui frappe la ville de New York. La bourse de Wall Street subit des dégâts importants et, confrontés à de telles destructions, les dirigeants mondiaux commencent à envisager de prendre des mesures drastiques, comme la relocalisation de certains quartiers des villes côtières.

La rupture entre les pays du BRIC. Dans ce monde, un conflit éclate entre la Chine et l'Inde sur l'accès à des ressources vitales. Des puissances extérieures interviennent avant que ce conflit ne connaisse une escalade et ne dégénère en conflagration planétaire. Le déclic de cet affrontement : la

1. « La surprise d'octobre » signifie, dans le jargon politique américain, un événement inattendu capable d'influencer les élections de novembre. (*N.d.T.*)

Chine soupçonne d'autres pays de menacer les approvisionnements en énergie de Pékin. Des perceptions erronées et de mauvais calculs ont conduit à ce désaccord. Ce scénario souligne l'importance de l'énergie et d'autres ressources dans la croissance d'un pays et son émergence parmi les grandes puissances du monde. Il montre, à l'intérieur d'un monde multipolaire, qu'un conflit est tout aussi susceptible de survenir entre des États en pleine ascension qu'entre anciennes et nouvelles puissances.

La politique n'est pas toujours une affaire locale. Dans ce monde-là, dont un journaliste fictif du ***Financial Times*** nous livre les contours, divers réseaux non étatiques – des ONG, des groupes religieux, d'éminentes personnalités du monde des affaires et des militants à l'échelon local – joignent leurs efforts pour déterminer les priorités internationales sur les questions d'environnement et usent de leur influence pour élire le secrétaire général de l'ONU. Cette coalition politique planétaire d'acteurs non étatiques joue un rôle crucial dans la conclusion d'un nouvel accord mondial sur le changement climatique. Pour ce monde nouveau interconnecté, avec ses moyens de communication numériques, ses classes moyennes montantes et ses groupes d'intérêts transnationaux, la politique n'est plus une affaire locale et la frontière devient de plus en plus floue entre les priorités de nature nationale et celles qui sont internationales.

Projections de long terme : un récit édifiant

Au XXe siècle, les experts qui tentaient de prévoir les vingt prochaines années – à peu près le cadre temporel de notre étude – sont souvent passés à côté d'événements géopolitiques majeurs, en fondant surtout leurs prédictions sur des projections linéaires, sans explorer d'autres possibilités susceptibles d'engendrer des discontinuités. Avant la Première Guerre mondiale, alors que les tensions entre les « grandes puissances » européennes s'envenimaient, peu d'observateurs avaient su percevoir les changements fondamentaux qui se tramaient, la dimension du massacre qui les attendait et la chute d'empires immémoriaux. Au début des années 1920, ils étaient tout aussi peu nombreux à anticiper l'évolution dévastatrice qui était alors en gestation, engendrée par la Grande Dépression, les goulags staliniens et une guerre mondiale encore plus sanglante, grosse de plusieurs génocides. La période de l'après-guerre a vu l'instauration d'un nouveau système international – et nombre de ses institutions (les Nations unies et les accords de Bretton Woods) ont perduré jusqu'à notre époque. Même si l'âge bipolaire et nucléaire n'a pas été exempt de conflits, il a fourni un cadre stable, avant l'effondrement de l'Union soviétique. Le développement d'une économie mondialisée dans laquelle la Chine et l'Inde jouent un rôle éminent a inauguré une ère nouvelle sans orientations claires.

Les leçons du siècle dernier nous inspirent toutefois plusieurs conclusions :

• **Les dirigeants et leurs idées comptent**. On ne peut en aucun cas exposer l'Histoire des cent dernières années sans se plonger dans le rôle et la pensée de figures comme Vladimir Ilitch Oulianov Lénine, Joseph Staline, Adolf Hitler ou Mao Zedong. Les actes de ces chefs dominateurs sont l'élément le plus ardu à anticiper. À plusieurs moments charnières du XXe siècle, les experts occidentaux ont cru que les idées libérales de l'économie de marché avaient triomphé. Comme l'a démontré l'impact de Churchill, de Roosevelt et de Truman, le *leadership* est la clef, même dans des sociétés aux institutions fortes où la marge de manœuvre du pouvoir personnel est plus restreinte.

• **La volatilité économique introduit un facteur de risque majeur**. Les historiens et les spécialistes des sciences sociales ont découvert une forte corrélation entre des changements économiques rapides – qu'ils soient positifs ou négatifs – et l'instabilité politique. Le bouleversement en profondeur de l'économie et sa volatilité à la fin de la « première » mondialisation de 1914-1918 et le relèvement des barrières protectionnistes dans les années 1920 et 1930, associés à des rancunes tenaces nées du traité de Versailles, ont jeté les bases de la Seconde Guerre mondiale. L'effondrement d'empires multinationaux et multiethniques – entamé après le premier conflit mondial et qui s'est poursuivi avec la fin des empires coloniaux dans la période de l'après-Seconde Guerre mondiale – a aussi déchaîné une longue série de conflits nationaux et ethniques aux répercussions perceptibles dans notre monde contemporain. La mondialisation actuelle a également aiguillonné des mouvements de populations, et brouillé des frontières sociales et géographiques traditionnelles.

• **Des rivalités géopolitiques déclenchent des discontinuités, plus encore que le changement technologique.** Beaucoup insistent sur le rôle de la technologie, qui amène des changements radicaux, et il est hors de doute qu'il s'agit là d'un moteur essentiel. Comme d'autres, nous avons trop fréquemment sous-estimé son impact. Toutefois, au cours du siècle dernier, plus encore que la seule technologie, ce sont les rivalités géopolitiques et leurs conséquences qui ont été la cause la plus déterminante de guerres multiples, d'effondrements d'empires et de l'ascension de nouvelles puissances.

1

UNE ÉCONOMIE QUI SE MONDIALISE

Quand le PIB de la Chine et de l'Inde dépassera celui des pays riches

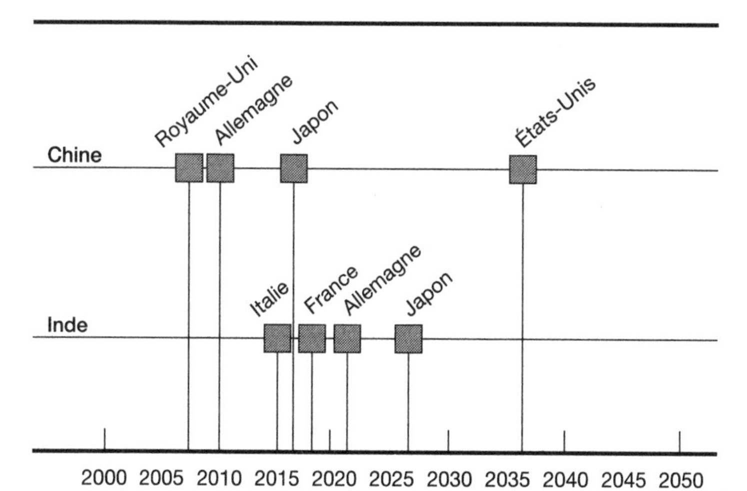

Source : Goldman Sachs, *Global Economics Paper* n° 99, octobre 2003.

En termes de taille, de vitesse et de direction, le transfert mondial de la richesse et de la puissance économique auquel nous assistons – grosso modo orienté de l'Occident vers l'Orient – est sans précédent dans l'histoire moderne. Ce glissement provient de deux sources majeures. D'abord, la hausse soutenue des cours du pétrole et des matières premières a généré une manne de profits exceptionnels, au bénéfice des États du Golfe et de la Russie. Ensuite, des coûts du travail relativement bas, associés à certaines politiques gouvernementales, ont déplacé l'épicentre des industries manufacturières et de services vers l'Asie. Une demande mondiale forte pour ces produits a entraîné de vastes économies d'échelle dans tout le continent asiatique, en particulier en Chine et en Inde. Ces déplacements de la demande et de l'offre sont profonds et structurels, ce qui laisse entendre que les transferts de puissance économique dont nous sommes témoins devraient sans doute être durables. Ces déplacements constituent la force motrice de la mondialisation et ils représentent – comme nous l'avons déjà souligné dans ***Comment sera le monde en 2020 ?*** – une tendance de fond qui transforme les schémas historiques des flux économiques et des stocks qui les sous-tendent et exige la recherche d'un nouvel équilibre aussi douloureux pour les pays pauvres que pour les pays riches.

« En termes de taille, de vitesse et de direction, le transfert mondial de la richesse et de la puissance économique auquel nous assistons – grosso modo orienté de l'Occident vers l'Orient – est sans précédent dans l'histoire moderne. »

Même si ce transfert n'est pas à somme nulle, les premiers perdants, comme la quasi-totalité de l'Amérique latine (à l'exception du Brésil et de quelques autres) et l'Afrique, ne reçoivent ni leur part du transfert initial d'actifs, ni aucun investissement significatif en provenance des pays bénéficiaires de ce transfert. Certaines nations industrialisées, comme le Japon, paraissent aussi de plus en plus déstabilisées par des relations financières sans cohérence avec ces marchés émergents. Les États-Unis et l'Eurozone reçoivent la plus grosse part des liquidités émanant de ces marchés, mais le profit qu'elles sauront en tirer, eu égard à leur position actuelle, dépend de plusieurs facteurs. Citons, entre autres, l'aptitude des pays occidentaux à réduire leur consommation et leur demande de pétrole, la faculté de ces États à tirer parti d'un contexte favorable aux exportations dans les secteurs où ils sont relativement dominants, comme les technologies et les services, et les politiques intérieures des États bénéficiaires, en particulier sur les questions de politique monétaire et d'ouverture aux investissements étrangers.

Retour vers le futur

Les places fortes économiques de l'Asie – la Chine et l'Inde – retrouvent les positions qui étaient les leurs deux siècles plus tôt, quand la Chine produisait approximativement 30 % de la richesse mondiale, et l'Inde 15 %. Pour la première fois depuis le XVIIIe siècle, la Chine et l'Inde sont appelées à devenir les premiers contributeurs de la croissance économique mondiale. D'ici à 2025, ces deux pays dépasseront probablement le PIB de toutes les autres économies, à l'exception du Japon et des États-Unis, mais leur revenu par habitant continuera d'accuser un retard pendant encore plusieurs décennies. Les années situées autour de 2025 seront caractérisées par cette « double identité » des deux géants asiatiques : des nations puissantes, où beaucoup d'individus se sentiront relativement pauvres, comparativement aux Occidentaux.

Les projections de croissance pour le Brésil, la Russie, l'Inde et la Chine les placent collectivement à la hauteur de la part des pays du G7 dans le PIB mondial pour la période 2040-2050. D'après ces mêmes projections, en 2025, les huit premières économies mondiales seront, en ordre décroissant : les États-Unis, la Chine, l'Inde, le Japon, l'Allemagne, le Royaume-Uni, la France et la Russie.

La Chine, en particulier, s'est révélée être un nouveau poids lourd de la finance, en revendiquant l'équivalent de deux billions de dollars de réserves de devises étrangères en 2008. Des pays en développement rapide, comme la Chine et la Russie, ont créé des fonds souverains (SWF) [1] dans le but d'utiliser leurs centaines de milliards de dollars d'actifs et d'en retirer

1. Les *Sovereign Wealth Funds* (SWF), ou fonds souverains, constituent des capitaux générés par les excédents des gouvernements et investis sur les marchés étrangers. Depuis 2005, le nombre des États dotés de ces fonds souverains est passé de trois à plus de quarante, et la valeur totale de ces fonds est passée de 700 milliards à 3 billions de dollars. La palette des fonctions remplies par ces SWF s'est elle aussi élargie, car de nombreux États qui en ont récemment créé l'ont fait parce qu'ils souhaitaient conforter les excédents de leurs comptes courants, ou fomenter une épargne intergénérationnelle, au lieu d'utiliser leurs capitaux pour amortir les effets de la volatilité des marchés de matières premières. Si les tendances actuelles devaient se maintenir, les fonds souverains gonfleraient jusqu'à plus de 6,5 billions de dollars dans les cinq prochaines années, et jusqu'à 12 à 15 billions avant dix ans, dépassant le total des réserves fiscales et comprenant quelque 20 % de la capitalisation mondiale totale.

des revenus qui les aideront à traverser les tourmentes économiques. Certains de ces fonds retourneront en Occident sous la forme d'investissements, promouvant de la sorte une productivité et une compétitivité économique accrues. Toutefois, les investissements directs (IED) des puissances émergentes dans le monde en développement augmentent de façon significative.

Ces nouvelles puissances sont en train de donner naissance à une nouvelle génération d'entreprises mondialement compétitives qui aident ainsi leurs pays à consolider encore davantage leur position sur le marché globalisé. Mentionnons ici les agro-industries et l'exploration énergétique offshore du Brésil, les activités de services de l'Inde dans les secteurs des technologies de l'information, de l'industrie pharmaceutique et des pièces détachées automobiles ou la Chine avec son acier, ses appareils électroménagers et ses équipements de télécommunications. Sur les 100 entreprises mondiales en tête de leur secteur (hors OCDE) reprises dans la liste d'un rapport de 2006 du Boston Consulting Group, 84 avaient leur siège au Brésil, en Russie, en Chine et en Inde.

Des classes moyennes élargies

Nous assistons à un moment sans précédent de l'histoire humaine : jamais auparavant un tel nombre d'individus n'a pu se hisser au-dessus du seuil de l'extrême pauvreté comme c'est le cas aujourd'hui. Rien qu'entre 1999 et 2004, ce sont 135 millions d'êtres humains qui ont pu échapper à la misère, un chiffre stupéfiant – supérieur à la population du Japon, et presque égal à celle de la Russie.

Selon la Banque mondiale, au cours des prochaines décennies, le nombre de personnes considérées comme appartenant aux « classes moyennes mondiales » devrait bondir de 440 millions à 1,2 milliard, soit de 7,6 à 16,1 % de la population du globe. La plupart d'entre elles viendront de Chine et d'Inde.

Toutefois, il y a un revers à la médaille de cette classe moyenne mondiale en pleine croissance : la divergence entre les deux extrêmes de la richesse et de la pauvreté qui continue. Beaucoup de pays – surtout ceux d'Afrique subsaharienne, enclavés, et pauvres en ressources naturelles – manquent d'atouts pour entrer dans le jeu de la mondialisation. D'ici à 2025-2030, la partie du monde considérée comme pauvre aura été réduite d'environ 23 %, mais les pauvres – soit toujours 63 % de la population du globe – seront relativement plus pauvres, toujours d'après la Banque mondiale.

Le capitalisme d'État : une économie de marché postdémocratique se lève-t-elle à l'est ?

La réussite monumentale que constitue la sortie de ces millions d'êtres humains de l'extrême pauvreté sous-tend l'ascension de nouvelles puissances – surtout la Chine et l'Inde – sur la scène internationale, mais l'histoire ne s'arrête pas là. Aujourd'hui, la richesse ne se contente pas de basculer de l'Occident vers l'Orient, elle se concentre aussi davantage entre les mains des États. Contrecoup de la crise financière mondiale de 2008, le rôle de l'État dans l'économie

Inégalités de revenus par régions du monde : une Europe moins inégalitaire que ses concurrentes

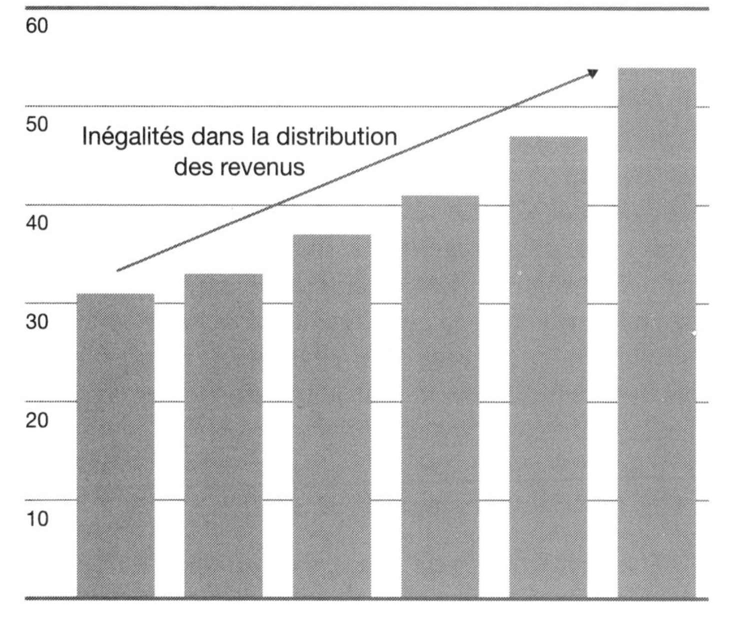

[a]Nations ayant accédé à l'Union Européenne en 2004 ou plus tard.
Source : UNDP, Rapport sur le développement humain 2007-2008 ; Banque mondiale.

pourrait de nouveau séduire de nombreux citoyens à travers le monde.

À quelques notables exceptions près, comme l'Inde, les États bénéficiaires des transferts massifs de richesse – la Chine, la Russie et les États du Golfe – ne sont pas démocratiques et leurs politiques économiques brouillent les distinctions entre les secteurs public et privé. Ces

États ne suivent pas le modèle libéral occidental de développement, mais appliquent un modèle différent – le « capitalisme d'État ». Il s'agit d'une formulation imprécise qui décrit un système de gestion économique conférant un rôle prééminent à l'État.

D'autres – comme la Corée du Sud, Taiwan et Singapour –, en s'engageant dans le développement de leurs économies, ont aussi choisi le capitalisme d'État. Toutefois, l'impact est potentiellement plus grand lorsque ce sont la Russie et, en particulier, la Chine qui s'engagent dans cette voie, étant donné leur poids sur la scène mondiale. Ironie de la situation, le renforcement marqué du rôle de l'État dans les économies occidentales, conséquence de la crise financière actuelle, pourrait renforcer la préférence des pays émergents pour un contrôle étatique plus net et leur méfiance envers des marchés dérégulés.

Ces États sont notoirement favorables à :

• ***Un contexte ouvert aux exportations.*** Au vu des richesses qui affluent chez eux, le désir des États de préserver une monnaie faible malgré des performances économiques solides exige d'eux une intervention constante sur les marchés des devises. Cela conduit ces États à accumuler des réserves de change, jusqu'à présent sous la forme de bons du Trésor américain.

• ***Les Sovereign Wealth Funds (SWF), ou fonds souverains et autres véhicules d'investissements étatiques.*** Ayant amassé d'énormes volumes d'actifs, le Conseil de coopération des États arabes du Golfe (CCG) et des responsables chinois ont de plus en plus eu recours à diverses formes d'investissements souverains. Les États qui entrent ainsi sur les marchés le font généralement dans la perspective de meilleurs rendements. Les SWF sont les plus souvent évoqués, mais ils ne constituent qu'un véhicule d'investissements souverains parmi beaucoup d'autres.

• ***Des efforts renouvelés en faveur d'une politique industrielle.*** Les gouvernements qui interviennent fortement dans la gestion de leurs économies développent généralement une politique industrielle. La Chine, la Russie et les États du Golfe ont mis en place des programmes visant à diversifier leurs économies et à augmenter la valeur ajoutée de leurs productions en accédant aux secteurs de la haute technologie et des services. La différence significative entre les efforts d'aujourd'hui et ceux des périodes précédentes tient au fait que ces États désormais possèdent directement les moyens nécessaires pour mettre en œuvre leurs programmes. Ils n'ont plus besoin pour cela des capitaux d'investisseurs nationaux ou étrangers.

• ***La diminution des privatisations et la résurgence des entreprises sous contrôle étatique.*** Au début des années 1990, beaucoup d'économistes prédisaient que les sociétés sous le contrôle des États seraient une relique du XXe siècle. Ils avaient tort. Ces sociétés dont l'État est le principal actionnaire sont loin d'être en voie d'extinction, elles prospéreraient plutôt et, dans bien des cas, elles cherchent à assurer leur expansion au-delà de leurs frontières, en particulier dans les secteurs des matières premières et de l'énergie. Ces sociétés, surtout les compagnies pétrolières nationales, attireront vraisemblablement les investisseurs en raison de la surabondance de capitaux que ces États accumulent. À l'instar des SWF, ces sociétés étatiques jouent aussi un rôle de soupapes de sécurité, en contribuant à modérer les pressions inflationnistes et d'appréciation des devises. Elles peuvent aussi servir à renforcer le contrôle politique des États et entendre l'influence de ceux-ci au-delà de leurs frontières, notamment quand elles gèrent des ressources stratégiques comme l'énergie.

Le rôle croissant de l'État dans les marchés émergents tranchait encore récemment avec les tendances inverses observées en Occident, où l'État s'est efforcé de ne pas se laisser distancer par l'ingénierie financière du secteur privé, avec des instruments tels que les produits dérivés et les marchés de risques de crédits. La complexité de ces marchés remonte aux années 1980, mais elle s'est aggravée avec la hausse des prix des actifs et les bulles spéculatives générées à partir des années 1990 jusqu'à très récemment. À son tour, l'ingénierie financière – reposant sur des niveaux de levier impensables voici encore une décennie – a instillé un degré de risque et de volatilité sans précédent dans les marchés mondiaux. Des mécanismes de contrôle plus rigoureux et une régulation internationale – issues possibles de la crise financière actuelle – pourraient infléchir cette courbe, mais il est probable qu'une faille demeure entre l'Occident et les puissances émergentes sur la conception du rôle de l'État dans l'économie.

Avec la crise financière 2008, la mondialisation en danger ?

Comme pour toutes les tendances abordées dans ce rapport, l'impact de la crise financière dépendra fortement du rôle dirigeant des gouvernements. Des politiques budgétaires et monétaires interventionnistes empêcheront sans doute que la panique des derniers mois de l'année 2008 et les récessions ne se transforment en dépression prolongée. Toutefois, une croissance économique réduite risque de ralentir le rythme de la mondialisation, en accentuant les pressions protectionnistes et la fragmentation financière.

La crise accélère le rééquilibrage de l'économie mondiale. Des pays en développement en souffrent. Plusieurs d'entre eux, comme le Pakistan, avec son important déficit des comptes courants, sont exposés à des risques considérables. D'autres, qui disposent pourtant de réserves de change – comme la Corée du Sud et la Russie – ont été sévèrement bousculés. Une hausse rapide du taux de chômage et de l'inflation pourrait engendrer une instabilité politique générale et faire dévier de leur cap des puissances émergentes. Toutefois, si la Chine, la Russie et les pays exportateurs de pétrole du Moyen-Orient ont la capacité d'éviter des crises intérieures, ils seront en position d'utiliser l'effet de levier de leurs réserves en devises, d'acheter des actifs étrangers et d'apporter une aide financière directe à des pays en situation inconfortable. Ils gagneraient ainsi des soutiens politiques et pourraient promouvoir de nouvelles initiatives régionales. En Occident, le changement majeur – nullement anticipé avant la crise – concerne l'accroissement de la puissance de l'État. Les gouvernements occidentaux possèdent désormais de vastes participations dans leurs secteurs financiers respectifs et doivent les gérer, ce qui peut avoir pour effet de « politiser » les marchés.

La crise a généré de nombreux appels pour un nouveau « Bretton Woods », afin de mieux réguler l'économie mondiale. Les dirigeants de la planète seront mis au défi de rénover le FMI et de concevoir un ensemble de règles mondiales, transparentes et efficaces qui s'appliqueraient à des capitalismes et à des degrés de développement institutionnel différents. Un échec dans cette construction d'une nouvelle architecture mondiale pourrait conduire certains pays à rechercher la sécurité dans des politiques de concurrence monétaire et de barrières imposées aux investissements, accroissant ainsi le potentiel de segmentation du marché.

La correction des déséquilibres mondiaux actuels : un parcours chaotique

Malgré des économies en plein boom, les marchés émergents se refusent à toute hausse du cours de leurs devises. Ce refus va de pair avec l'aggravation volontaire de l'endettement des États-Unis. Ces deux volontés contradictoires ont provoqué des déséquilibres et s'apparentent à une forme de soutien mutuel, intenable à terme. En fait, les événements survenus à Wall Street en 2008 sont le préambule d'un vaste processus de rééquilibrage et de corrections visant à surmonter ces déséquilibres. Les difficultés d'une coordination planétaire des politiques économiques – pour partie la conséquence indirecte de cette multipolarité politique et financière grandissante – accentuent les risques d'un parcours chaotique.

L'un des développements suivants, ou leur combinaison, pourrait aussi entraîner certains ajustements de tendance : un ralentissement de la consommation aux États-Unis et une hausse concomitante du taux d'épargne des Américains, ainsi qu'une élévation de la demande de la part des marchés émergents asiatiques, en particulier la Chine et l'Inde. Le fait que ces déséquilibres se stabilisent ou se dégradent d'ici à 2025 dépend en partie des leçons que les puissances émergentes choisiront de tirer de la crise financière. Certaines seront tentées d'interpréter cette crise comme une raison supplémentaire pour se protéger tandis que d'autres – comprenant que peu d'économies, voire aucune, sont immunisées contre une baisse généralisée des actifs – pourraient finir par considérer l'accumulation de réserves comme une priorité secondaire.

Par le passé, des perturbations financières majeures et la nécessité de réajustements économiques et politiques se sont souvent propagées au-delà de la sphère financière. L'Histoire nous montre que, si l'on veut instaurer un système international, ce rééquilibrage réclamera des efforts de long terme. Parmi les problèmes spécifiques à surmonter, citons :

• ***Un protectionnisme accru en matière de commerce et d'investissements.*** Des opérations d'acquisitions étrangères de plus en plus agressives, de la part d'entreprises basées dans des économies en ascension rapide – souvent propriétés de l'État –, susciteront des tensions politiques. Elles risqueront aussi de provoquer des effets en retour dans les opinions publiques contre le commerce et les investissements étrangers. Aux États-Unis, la perception d'une inégalité des bénéfices issus de la mondialisation est capable d'alimenter des forces protectionnistes.

• ***Un accaparement accéléré des ressources.*** Les nouvelles puissances auront de plus en plus les moyens d'acquérir des matières premières, afin de s'assurer un développement constant. La Russie, la Chine et l'Inde ont lié leur sécurité nationale à un contrôle étatique des sources d'énergie, de leurs marchés et de leur accès, à travers des conglomérats énergétiques à capitaux d'État. Les monarchies du Golfe ont pris des participations foncières et acquis des terres hors de leurs territoires afin de s'assurer des approvisionnements alimentaires.

• ***Une démocratisation ralentie.*** La Chine, en particulier, non contente d'avoir adopté un chemin économique singulier, propose un modèle alternatif de développement politique. Ce modèle peut se révéler attractif pour des régimes autoritaires peu efficaces, et affaiblir des démocraties contrariées par des années de contre-performances économiques.

• ***L'éclipse des institutions financières internationales.*** Les fonds souverains ont injecté plus de capitaux dans les marchés émergents que le Fonds monétaire international et la Banque mondiale réunis. Face à des déséquilibres planétaires qui se multiplient, cette tendance pourrait même se prolonger. La Chine a déjà commencé à coupler les investissements de ses fonds souverains avec une aide directe, en surenchérissant souvent sur des projets de la Banque mondiale. De tels investissements extérieurs, de la part d'États qui se sont récemment enrichis, comme la Chine, la Russie et les monarchies du CCG, conduiront à des réalignements diplomatiques et de nouvelles relations entre ces États et le monde en développement.

• ***Un déclin du rôle international du dollar.*** En dépit de récents afflux vers des actifs libellés en dollars, la devise américaine, d'ici à 2025, est menacée de perdre son statut de monnaie de réserve mondiale sans équivalent et de devenir un *primum inter pares* au sein d'un panier de devises. Cela pourrait contraindre les États-Unis à réfléchir plus attentivement aux conséquences de leur politique étrangère sur leur monnaie. Faute d'une demande extérieure régulière en dollars, les initiatives de politique étrangère américaine pourraient exposer Washington à des chocs monétaires et les Américains à des taux d'intérêt plus élevés.

L'emploi de plus en plus courant de l'euro est déjà une évidence qui, potentiellement, complique à l'avenir l'exploitation par les États-Unis du rôle particulier du dollar dans les échanges commerciaux et les investissements internationaux à des fins politiques. Ainsi le gel d'actifs et l'entrave aux flux financiers de leurs adversaires – comme récemment avec les sanctions financières contre les dirigeants nord-coréens et iraniens – seront plus difficiles. Les incitations à se tenir à l'écart du dollar seront toutefois tempérées par les incertitudes et l'instabilité du système financier international.

Des noyaux financiers multiples

Avec l'ancrage des États-Unis et de l'Union européenne en Occident, de la Russie et des États du CCG en Asie centrale et au Moyen-Orient, et avec la Chine et, ultérieurement, l'Inde en Orient, pour la première fois, le paysage financier va devenir authentiquement mondial et multipolaire. Dans la mesure où la récente crise financière a ravivé l'intérêt pour des instruments à moindre effet de levier, les circuits financiers des pays islamistes pourraient aussi connaître un regain. Alors qu'un ordre financier mondial et multipolaire trahit un relatif déclin du pouvoir américain et une probable exacerbation de la compétition et de la complexité des marchés, ce sont là des inconvénients qui s'accompagneront de beaucoup d'avantages. Avec le temps, et au fur et à mesure de leur développement, ces centres financiers multiples sont susceptibles d'être en surnombre, contribuant ainsi à isoler les marchés contre les chocs financiers et les crises monétaires, en amortissant leurs effets avant que la contagion planétaire s'installe. Dans le même ordre d'idées, alors que certaines régions s'organisent autour d'épicentres financiers, les incitations à préserver une stabilité géopolitique afin de mettre ces flux à l'abri se multiplient.

Cependant, l'Histoire nous enseigne qu'une telle réorientation vers des centres financiers régionaux pourrait assez vite affecter d'autres domaines du pouvoir. Il est rare que les « argentiers de dernier recours » acceptent que leur influence reste limitée aux stricts périmètres de la finance. Des tensions interrégionales pourraient diviser l'Occident, les États-Unis et l'Union européenne

Domination scientifique et technologique : un test pour les puissances émergentes

Le rapport entre les conquêtes de la science et de la technologie et la croissance économique a été établi de longue date, mais le cheminement n'est pas toujours prévisible. L'évaluation de l'efficacité d'ensemble du Système national d'innovation (SNI) d'une nation est plus significative. Elle décrit le processus par lequel les concepts intellectuels s'acheminent vers leur commercialisation, au bénéfice d'une économie nationale. Selon une étude mondiale commanditée par le Conseil national du renseignement américain auprès d'experts scientifiques, les États-Unis peuvent se prévaloir aujourd'hui d'un système d'innovation plus fort que ceux de la Chine et de l'Inde.

• L'idée d'un SNI a été avancée pour la première fois dans les années 1980. L'objectif était alors de comprendre comment certains pays réussissaient mieux que d'autres à transformer des concepts intellectuels en produits commerciaux. Le modèle du SNI évolue sous l'influence qu'exercent sur les économies nationales les technologies de l'information et la croissance de la mondialisation (et le déploiement d'entreprises multinationales).

D'après l'étude commanditée par le Conseil national du renseignement, neuf facteurs peuvent contribuer à un SNI moderne : la fluidité des capitaux, la flexibilité de la main-d'œuvre, la réceptivité du gouvernement au monde des affaires, les technologies de l'information et de la communication, les infrastructures de développement du secteur privé, les dispositifs juridiques de protection des droits de propriété intellectuelle, la disponibilité du capital scientifique et humain, les talents de marketing et une culture qui encourage la créativité.

Dans dix ans, on s'attend que la Chine et l'Inde aient atteint une quasi-parité avec les États-Unis dans deux de ces domaines : le capital scientifique et humain – pour l'Inde – et la réceptivité du gouvernement à l'innovation du monde des affaires – pour la Chine. La Chine et l'Inde vont sensiblement resserrer l'écart dans tous les autres secteurs, sans parvenir à le refermer. Les États-Unis devraient conserver leur position dominante dans trois secteurs : la protection des droits de propriété intellectuelle, une sophistication commerciale qui intègre l'innovation et l'encouragement de la créativité.

Des entreprises situées en Chine, en Inde et dans d'autres grands pays en développement auront l'occasion d'être les premières à développer toute une série de technologies nouvelles. C'est notamment le cas quand des entreprises investissent sans l'entrave de modèles historiques de développement. La production d'électricité, le développement de sources d'eau potable et la prochaine génération des technologies de l'information et de l'Internet (notamment l'informatique ubiquitaire et l'Internet des objets – voir notre encadré) sont particulièrement concernés. L'adoption précoce de ces technologies et leur développement soutenu pourraient être porteurs d'avantages économiques considérables.

défendant des priorités économiques et monétaires de plus en plus divergentes, compliquant ainsi leurs efforts pour conduire et animer conjointement la croissance de l'économie mondiale.

Des modèles de développement divergents, mais pour combien de temps ?

Le modèle étatique centralisé dans lequel l'État prend les décisions économiques déterminantes et où la démocratie demeure contrainte, comme en Chine et, de plus en plus fréquemment, en Russie, remet en question le caractère « incontournable » du modèle occidental du développement – à grands traits : un mélange d'économie libérale et de démocratie. Au cours des quinze à vingt prochaines années, au lieu d'adopter le modèle traditionnel des marchés et des systèmes politiques démocratiques occidentaux, les pays en développement pourraient, en nombre croissant, s'approcher du modèle étatique centralisé de Pékin afin de tenter de concilier un essor rapide de leurs économies et une apparente stabilité politique. Même si nous pensons que des différences subsisteront entre ces deux modèles, leurs contrastes pourraient s'atténuer avec le renforcement du rôle de l'État dans les économies occidentales.

Au Moyen-Orient, avec des partis islamistes prenant de l'importance et commençant même parfois à gouverner, la laïcité, elle aussi partie intégrante du modèle occidental, pourrait être de plus en plus perçue comme inadaptée. Comme dans la Turquie contemporaine, nous pourrions assister à la conjonction d'une islamisation de la société et d'une plus grande attention donnée à la croissance et la modernisation de l'économie.

« La Chine, en particulier, non contente d'avoir adopté un chemin économique singulier, propose un modèle alternatif de développement politique. »

L'absence d'une idéologie dominante et le mélange de certains éléments – par exemple, le fait que le Brésil et l'Inde soient des démocraties de marché très dynamiques – signifient que le modèle étatique centralisé ne constitue pas encore un système alternatif. De notre point de vue, il est même peu vraisemblable qu'il en devienne un. Au cours des vingt années à venir, la libéralisation éventuelle de la Chine, tant au plan politique qu'au plan économique, constitue un test particulièrement crucial de la pérennité d'une alternative durable au modèle occidental traditionnel. Cette démocratisation aura beau être lente, comme elle le sera probablement, et revêtir un caractère propre à la Chine, nous croyons que les classes moyennes émergentes exigeront d'exercer une influence politique plus grande et demanderont aux responsables politiques de rendre des comptes. Ce sera particulièrement vrai si le gouvernement échoue à maintenir la croissance économique ou s'il ne répond pas aux exigences de plus en plus présentes d'une meilleure « qualité de la vie » face à l'augmentation de la pollution ou au besoin d'un meilleur accès aux services de santé et d'éducation. Les efforts du gouvernement pour encourager la science et la technologie et créer une économie *high tech* multiplieront les incitations à se préoccuper davantage du capital humain et à s'ouvrir à l'extérieur pour attirer en Chine compétences et idées nouvelles.

Les schémas historiques qui se sont imposés dans d'autres pays producteurs d'énergie tendent à démontrer que les autorités russes sauront dévier plus facilement les pressions en faveur d'une libéralisation. Traditionnellement, les producteurs d'énergie ont utilisé leurs revenus pour acheter la soumission de leurs opposants politiques. À cet égard, rares sont ceux qui ont accompli une transition vers la démocratie tant que les revenus de leur manne énergétique sont restés élevés.

Une chute prolongée des cours du pétrole et du gaz modifierait le paysage et renforcerait les perspectives d'une plus grande libéralisation politique et économique en Russie.

Amérique latine : une croissance économique modérée, une violence urbaine persistante

En 2025, beaucoup de pays latino-américains auront accompli des progrès notables vers la consolidation de leurs démocraties. Certains de ces pays seront devenus des puissances moyennes. D'autres, en particulier ceux qui ont adopté des politiques populistes, accuseront un retard – et d'autres encore, comme Haïti, se seront encore appauvris et seront encore moins gouvernables qu'aujourd'hui. Les problèmes de sécurité publique demeureront toujours aussi insolubles – et dans certains cas tout à fait ingérables. Le Brésil deviendra la première puissance régionale, mais ses efforts pour promouvoir une intégration sud-américaine ne se réaliseront qu'en partie. Le Venezuela et Cuba conserveront dans la région une influence résiduelle, mais leurs problèmes économiques limiteront leur attrait. Si les États-Unis s'avéraient incapables d'offrir à l'Amérique latine un accès permanent et significatif à leur marché, Ils pourraient perdre leur position privilégiée dans la région et voir décliner leur influence politique.

Entre aujourd'hui et 2025, une croissance économique régulière – atteignant peut-être le seuil des 4 % – favorisera un modeste déclin des niveaux de pauvreté dans certains pays de la région et une réduction progressive des secteurs de l'économie « grise ». Les progrès accomplis pour réformer l'éducation, une fiscalité contre-productive, les droits de propriété fragiles, des forces de police et une justice inadaptées, resteront marginaux et ponctuels. L'importance relative croissante de la région en tant que productrice de pétrole, de gaz naturel, de biocarburants et d'autres sources d'énergies alternatives favorisera la croissance du Brésil, du Chili, de la Colombie et du Mexique, mais l'étatisation des ressources énergétiques et l'agitation politique qu'elles suscitent entraveront l'efficacité de leur exploitation. La compétitivité économique de l'Amérique latine continuera d'accuser un retard par rapport à celle de l'Asie et d'autres régions en expansion rapide.

La croissance démographique de la région restera relativement limitée, mais les populations rurales et indigènes pauvres continueront de croître à un rythme plus rapide. L'Amérique latine aura une population vieillissante, car le taux de croissance des adultes âgés de soixante ans et plus augmente.

Certaines zones de l'Amérique latine compteront toujours parmi les plus violentes du monde. Les réseaux de trafiquants de drogue, en partie soutenus par une consommation locale en hausse, des cartels du crime transnationaux et des gangs de criminels locaux, continueront de saper toute velléité de sécurité publique. Ces facteurs, et certaines faiblesses persistantes des règles de droit, entraîneront certains petits pays, surtout en Amérique centrale et dans les Caraïbes, au bord de la faillite.

L'Amérique latine conserva un rôle marginal dans le système international, si l'on excepte sa participation au commerce mondial et certains efforts de maintien de la paix.

L'influence américaine dans cette partie du monde diminuera aussi quelque peu, notamment à cause de l'élargissement des relations économiques et commerciales de l'Amérique latine avec l'Asie, l'Europe et d'autres blocs régionaux. De manière générale, les pays d'Amérique latine se tourneront vers les États-Unis pour solliciter leurs conseils tant au plan mondial que dans leurs relations régionales. Une population hispanique de plus en plus nombreuse aux États-Unis conduira Washington à se montrer plus attentif et à s'impliquer davantage dans la culture, la religion, l'économie et la politique de cette région.

Les femmes, agents du changement géopolitique

Au cours des deux prochaines décennies, la responsabilisation économique et politique des femmes pourrait transformer le paysage mondial. Cette tendance est déjà manifeste dans le domaine économique : ***ces dernières années, l'explosion de la productivité économique mondiale a été alimentée autant par l'encouragement des ressources humaines – en particulier à travers des améliorations en matière de santé, d'éducation et d'opportunités d'emploi pour les femmes et les jeunes filles – que par des avancées technologiques.***

• La prédominance des femmes dans les secteurs manufacturiers fortement exportateurs d'Asie du Sud-Est est probablement un facteur déterminant du succès économique de cette région. Les ouvrières agricoles comptent pour la moitié de la production vivrière mondiale – même sans un accès viable à la terre, au crédit, aux équipements et aux marchés.

• Au cours des vingt prochaines années, l'entrée et le maintien des femmes sur le marché du travail pourraient encore atténuer l'impact économique du vieillissement de la population mondiale.

Presque partout en Asie et en Amérique latine, les femmes atteignent de plus hauts niveaux d'éducation que les hommes, une tendance particulièrement lourde de sens dans une économie mondiale très intensive en capital humain.

• Les statistiques démographiques indiquent une corrélation notable entre un haut niveau d'alphabétisation des femmes et une croissance plus solide du PIB, dans une région donnée – par exemple, les deux

Amériques, l'Europe et l'Asie de l'Est. Inversement, les régions souffrant d'un taux d'alphabétisation des femmes plus bas – l'Asie du Sud et de l'Ouest ; le monde arabe et l'Afrique subsaharienne – sont aussi les plus pauvres du monde.

• Un meilleur accès à l'instruction des jeunes filles et des femmes est un autre facteur qui contribue à la baisse du taux de natalité dans le monde – et, par extension, à une meilleure santé des jeunes mères. Parmi les implications de long terme de cette tendance, on relèvera certainement un moins grand nombre d'orphelins, moins de malnutrition, davantage d'enfants scolarisés et l'apport d'autres contributions à la stabilité sociale.

Si les données sur l'**engagement politique** des femmes sont moins concluantes que celles concernant leur participation à l'économie, leur responsabilisation politique semble porteuse d'un changement des priorités gouvernementales. ***Des exemples aussi disparates que ceux de la Suède et du Rwanda indiquent que les pays comptant un nombre relativement élevé de femmes politiquement actives accordent une plus grande importance aux questions de société comme la santé publique, l'environnement et le développement économique.*** Si cette tendance se confirme durant les quinze à vingt prochaines années, comme c'est probable, un nombre croissant de pays pourraient accorder leur préférence à des programmes sociaux plutôt qu'à des programmes militaires. Il en résulterait quelques effets inattendus, et notamment celui d'une meilleure gouvernance : en effet, un plus grand nombre de femmes au Parlement ou à des postes de hautes responsabilités gouvernementales va de pair avec une corruption moindre.

Le rôle des femmes n'est nulle part plus important pour le changement géopolitique que dans le monde musulman. En Europe, les femmes musulmanes réussissent beaucoup mieux à s'assimiler que leurs homologues masculins, notamment parce qu'elles s'épanouissent dans le cadre du système éducatif, ce qui facilite leur accès à des emplois dans les industries de service et de l'information. Des taux de fécondité en net déclin parmi les musulmans d'Europe attestent cette volonté d'accepter des emplois à l'extérieur du foyer familial et un refus croissant de se conformer à des normes traditionnelles. À court terme, le déclin des structures familiales musulmanes traditionnelles peut contribuer à expliquer que de nombreux jeunes musulmans deviennent réceptifs aux messages islamistes radicaux. Toutefois, en élevant les générations futures, les femmes peuvent montrer la voie vers une meilleure assimilation sociale et réduire le risque d'une dérive vers l'extrémisme islamiste. L'impact d'un nombre croissant de femmes sur le marché du travail peut aussi avoir des effets hors d'Europe. Les pays en voie de modernisation de l'Islam méditerranéen entretiennent des liens étroits avec le continent européen, où ces pays ont envoyé quantité de travailleurs immigrés. Ces immigrés repartent en visite dans leur pays d'origine, ou s'y réinstallent et rapportent avec eux de nouvelles idées et de nouvelles attentes. Ces pays islamiques sont également influencés par les médias européens, à travers le satellite et Internet.

L'accès aux études supérieures modèle le paysage mondial en 2025

Alors que l'activité économique internationale abolit de plus en plus les frontières, avec des marchés du travail de plus en plus homogènes, l'éducation est devenue le facteur capital de la performance et du potentiel économique des nations. Une instruction primaire adaptée est essentielle, mais la qualité et l'accessibilité à l'enseignement secondaire et supérieur seront encore plus importants pour déterminer si une société gravit avec succès l'échelle de la production de valeur ajoutée.

L'avance des États-Unis au plan du travail hautement qualifié va probablement se réduire. On le constatera au fur et à mesure que de grands pays en développement, en particulier la Chine, commenceront de récolter les dividendes de leurs récents investissements en capital humain, notamment l'éducation, mais aussi la nutrition et la santé. L'Inde est confrontée à un défi, en raison de son instruction primaire inadaptée, handicap présent un peu partout dans les régions les plus pauvres, et à cause d'établissements d'enseignement d'élite réservés à quelques privilégiés. Dans la plupart des pays européens, le financement de l'enseignement a atteint 5 % du PIB, et pourtant rares sont les universités européennes jouissant d'une réputation mondiale. Dans le monde arabe, les dépenses d'éducation sont à peu près à égalité en termes absolus avec le reste du monde, et au-delà de la moyenne mondiale par rapport au PIB, accusant seulement un léger retard par rapport aux pays à haut revenu de l'OCDE. Les données de l'ONU et les résultats de certaines recherches menées par d'autres institutions suggèrent toutefois que la formation et l'éducation de la jeunesse du Moyen-Orient ne sont pas en phase avec les besoins des employeurs, en particulier dans les domaines de la science et de la technologie. On note cependant des signes de progrès.

Les États-Unis seront peut-être les seuls à pouvoir adapter leur enseignement supérieur et leurs unités de recherche à une demande mondiale en hausse et à se positionner comme une plaque tournante de l'enseignement mondial pour un nombre croissant d'étudiants qui entreront sur le marché de l'éducation d'ici à 2025. Même si l'ouverture de nouvelles salles de classe et de nouveaux laboratoires aux États-Unis peut signifier une demande accrue d'étudiants américains sur le marché mondial, l'économie américaine devrait en être la principale bénéficiaire. En effet, les entreprises ont tendance à implanter leurs établissements à proximité du capital humain disponible. L'exportation des modèles éducatifs américains, avec la construction de campus au Moyen-Orient et en Asie centrale, pourrait renforcer l'attractivité et le prestige planétaires des universités des États-Unis.

2

LA DÉMOGRAPHIE DE LA DISCORDE

Les tendances en matière de natalité, de mortalité et de migration modifient la taille relative et absolue des populations jeunes et âgées, rurales et urbaines, et des majorités et minorités ethniques au sein de nations émergentes ou établies de longue date. Ces reconfigurations démographiques offriront des opportunités sociales et économiques à certaines puissances et remettront sévèrement en cause certains faits acquis dans d'autres pays. D'ici à 2025, la population de plus de cinquante pays va augmenter de plus d'un tiers – parfois même de plus des deux tiers –, pesant davantage sur les ressources naturelles vitales, les services et les infrastructures. Les deux tiers de ces pays sont situés en Afrique subsaharienne. La plupart des autres nations en rapide croissance démographique se trouvent au Moyen-Orient et en Asie du Sud.

Le Moyen-Orient va vieillir

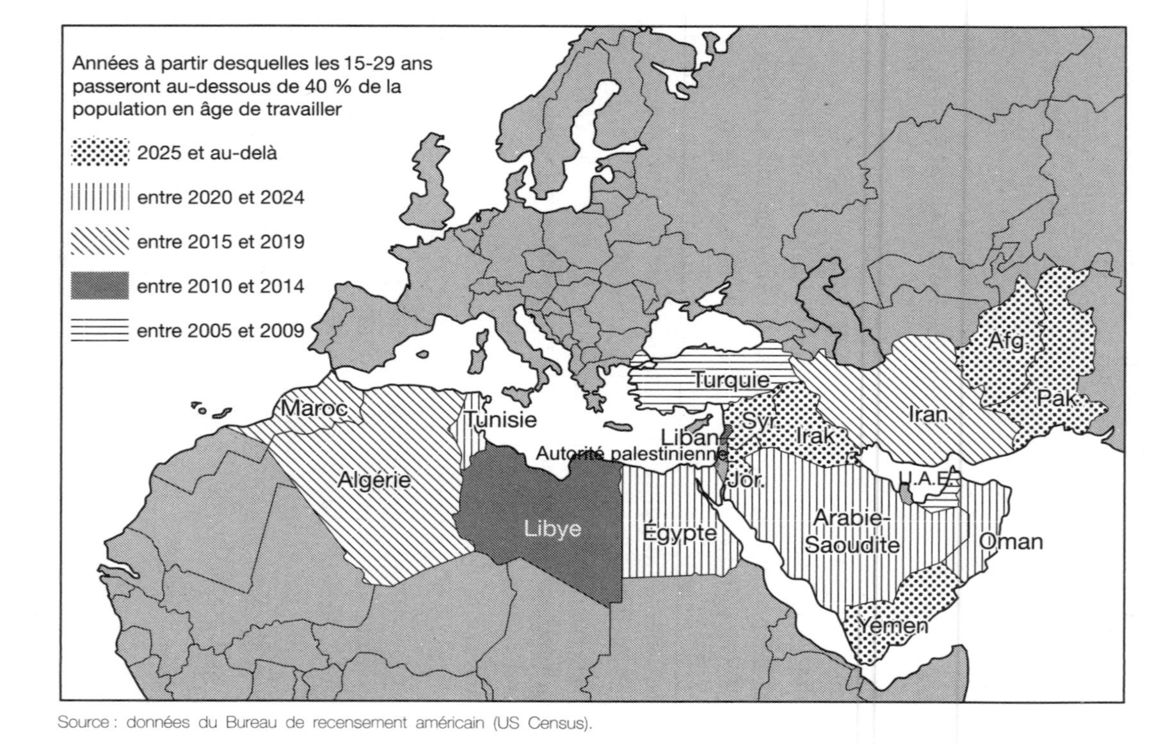

Source : données du Bureau de recensement américain (US Census).

Populations en croissance, en déclin, et qui se diversifient – des processus simultanés

D'après nos projections, la population du globe devrait croître de 1,2 milliard d'individus entre 2009 et 2025 – passant ainsi de 6,8 à près de 8 milliards d'habitants. Malgré une augmetation de la population mondiale substantielle – avec des effets concomitants sur les ressources naturelles –, le taux de croissance sera plus lent qu'il n'a été, en repli par rapport à la naissance de 2,4 milliards d'individus dans le monde entre 1980 et 2008. Les démographes prévoient que l'Asie et l'Afrique représenteront l'essentiel de la croissance de la population d'ici à 2025, tandis que moins de 3 % de cette hausse seront enregistrés dans les pays développés – Europe, Japon, États-Unis, Canada, Australie et Nouvelle-Zélande. En 2025, environ 16 % de l'humanité vivront en Occident, contre 18 % en 2009 et 24 % en 1980.

• C'est en Inde que la plus forte hausse sera enregistrée. Elle représentera environ le cinquième de la croissance totale. La population indienne devrait croître d'environ 240 millions d'individus d'ici à 2025, atteignant un total de 1,45 milliard. Entre 2009 et 2025, l'autre géant d'Asie, la Chine, devrait voir sa population grossir de plus de 100 millions de personnes, avec 1,3 milliard d'habitants (voir graphique p. 126).

• Au total, les pays d'Afrique subsaharienne devraient voir leur population augmenter d'environ 350 millions de personnes durant la même période, alors que les nations d'Amérique latine et des Caraïbes augmenteront d'environ 100 millions.

• Entre 2009 et 2025, la Russie, l'Ukraine, l'Italie, la quasi-totalité des pays d'Europe orientale et le Japon verront leurs populations décliner de plusieurs points. Ce déclin pourrait approcher ou dépasser 10 % des populations actuelles de la Russie, de l'Ukraine et de quelques autres pays d'Europe orientale.

• La population des États-Unis, du Canada, d'Australie et de quelques autres pays industrialisés affichant des taux d'industrialisation assez élevés, continuera de croître – les États-Unis de plus de 40 millions d'individus, le Canada de 4,5 millions, l'Australie de plus de 3 millions.

D'ici à 2025, les pyramides des âges déjà très diversifiées d'une nation à une autre promettent de varier plus que jamais, et l'écart entre les profils les plus jeunes et les plus vieux continuera de se creuser. Les pays les plus « âgés » – ceux dont les moins de 30 ans constituent moins du tiers de la population – traceront un bandeau sur toute la ceinture septentrionale de la planète. À l'inverse, les pays les plus « jeunes », où le groupe des moins de trente ans représente 60 % de la population ou plus, sera presque entièrement localisé en Afrique subsaharienne (voir cartes pages 122-123).

Le boom des retraités : les défis des populations vieillissantes

Le vieillissement des populations a conduit les pays développés – à quelques exceptions près, comme les États-Unis – à un « **seuil critique** » démographique. À l'heure actuelle, dans le monde développé, près de 7 personnes sur 10 se situent dans ce que l'on considère traditionnellement comme des années d'activité (entre 15 et 64 ans) – un niveau record. Ce chiffre n'a jamais été aussi élevé et, d'après les experts, il n'atteindra vraisemblablement plus de tels niveaux.

Dans la quasi-totalité des pays développés, la période de croissance la plus rapide du nombre de seniors (âgés de 65 ans ou plus) par rapport à la population en âge de travailler surviendra dans les années 2010 et 2020, alourdissant la charge fiscale pesant sur les prestations liées à la vieillesse. D'ici à 2010, le monde développé comptera environ 1 senior pour 4 personnes en âge de travailler. D'ici à 2025, ce ratio aura grimpé de 1 à 3, et peut-être au-delà.

• Le Japon est dans une position délicate : sa population en âge de travailler s'est contractée depuis le milieu des années 1990 et sa population totale depuis 2005. Les projections actuelles anticipent une société qui, en 2025, comptera 1 senior pour 2 Japonais en âge de travailler.

• Pour l'Europe occidentale, le tableau est plus mitigé. Le Royaume-Uni, la France, la Belgique, les Pays-Bas et les pays nordiques maintiendront sans doute

La structure mondiale de la pyramide des âges

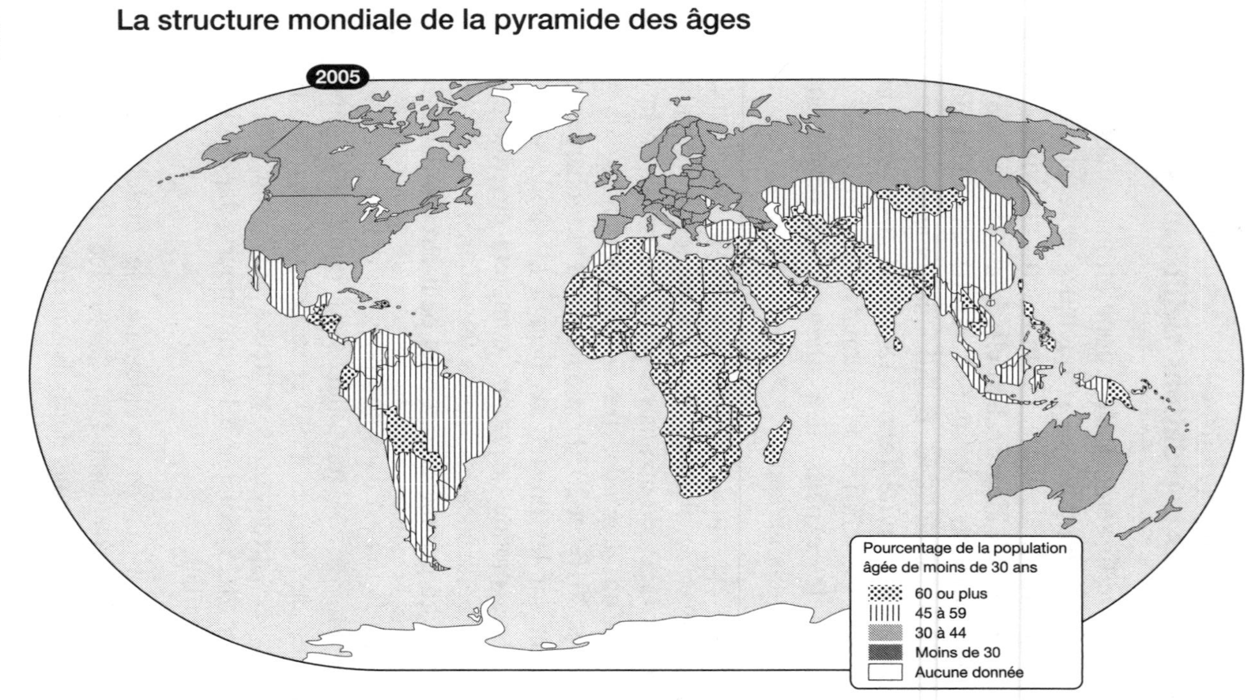

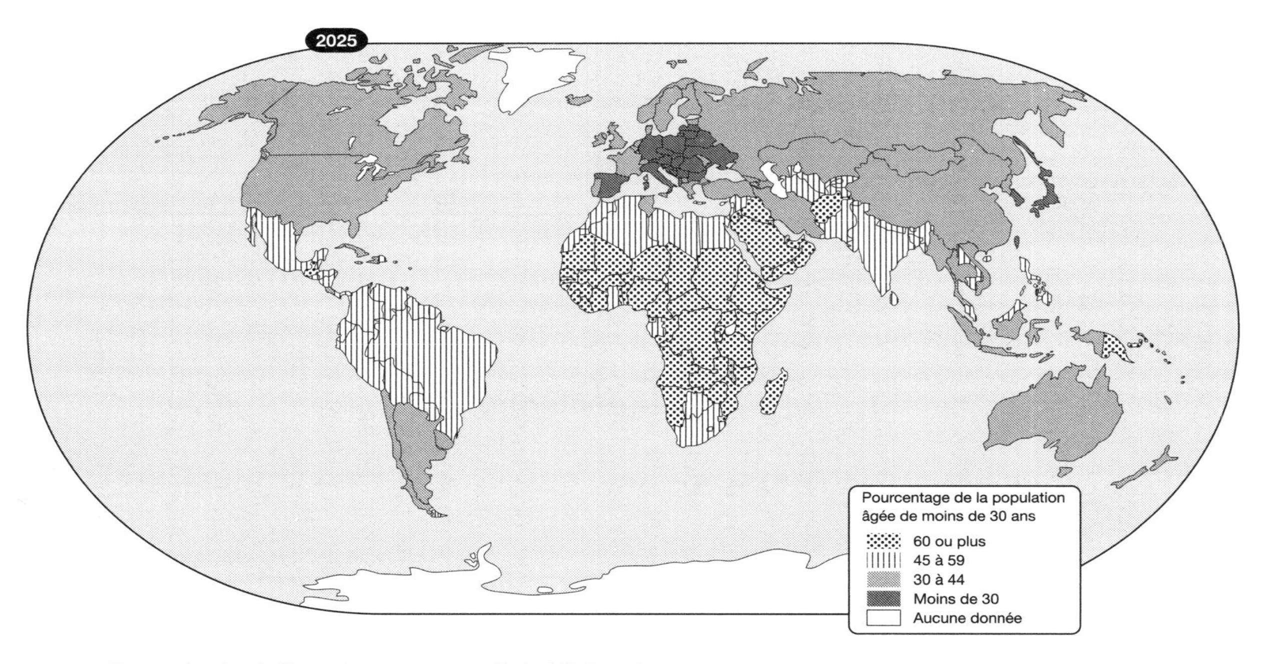

Source : données du Bureau de recensement américain (US Census)

les taux de fécondité les plus élevés du Vieux Continent mais resteront au-dessous du seuil de 2 enfants par femme. Dans le reste de cette région du monde, la fécondité stagnera vraisemblablement au-dessous de 1 enfant par femme, à égalité avec le Japon (niveau très inférieur au seuil de remplacement de 2,1 enfants par femme).

Des hausses fortes et durables du taux de fécondité, même si elles débutaient aujourd'hui, n'inverseraient pas une tendance au vieillissement entamée depuis plusieurs décennies en Europe et au Japon. Si ce taux de fécondité augmentait immédiatement en Europe occidentale pour atteindre le seuil de remplacement, le taux de seniors par rapport aux individus en âge de travailler continuerait d'augmenter régulièrement jusqu'à la fin des années 2030. Au Japon, il continuerait de grimper jusqu'à la fin des années 2040.

En Europe occidentale, pour empêcher la diminution de la population en âge de travailler, le niveau annuel de l'immigration nette devrait doubler ou tripler. Dans presque tous les pays d'Europe de l'Ouest, les populations minoritaires non européennes pourraient représenter une proportion non négligeable d'ici à 2025 – 15 % ou davantage –, et leur pyramide des âges sera sensiblement plus jeune que celle de la population de souche (voir p. 122-123). Le degré de mécontentement des Européens de souche vis-à-vis des niveaux actuels d'immigration laisse penser que des hausses aussi rapides attiseront probablement les tensions.

Le vieillissement des sociétés aura des incidences économiques. Même si la productivité augmente, une croissance plus faible de l'emploi dans une population en âge de travailler qui diminue réduira de 1 % le PIB déjà frileux des pays d'Europe. Au cours de la décennie 2030, la croissance du PIB japonais pourrait, selon certaines projections, frôler le zéro. Le coût des retraites et de la couverture maladie réduira les dépenses dans d'autres secteurs, comme la défense.

Des excédents démographiques persistants

Les pays présentant une pyramide des âges à base large, avec des populations en croissance rapide, forment un croissant qui va des régions andines de l'Amérique latine, traverse l'Afrique subsaharienne, le Moyen-Orient et le Caucase, avant de s'achever dans les régions septentrionales de l'Asie du Sud. D'ici à 2025, le nombre des pays de cet « arc d'instabilité » aura diminué de 35 à 40 % en raison d'une baisse du taux de fécondité et de populations vieillissantes. Les trois quarts de la trentaine de pays possédant une base démographique large qu'ils conserveront, pense-t-on, au-delà de 2025 sont localisés en Afrique subsaharienne. Le reste sera situé au Moyen-Orient ou en Asie et dans les îles du Pacifique.

• D'ici à 2025, l'émergence de nouveaux dragons économiques pourrait survenir là où les populations jeunes vont commencer à travailler. Les experts soulignent que cet avantage démographique est le plus favorable quand le pays produit une force de travail diplômée et un environnement propice à l'investissement. Ce schéma pourrait se produire en Turquie, au Liban, en Iran, dans les pays du Maghreb (Maroc, Algérie et Tunisie), en Colombie, au Costa Rica, au Chili, au Vietnam, en Indonésie et en Malaisie.

• Les excédents démographiques actuels des États du Maghreb, de la Turquie, du Liban et de l'Iran vont rapidement se résorber, mais ceux de Cisjordanie et de la bande de Gaza, de l'Irak, du Yémen, de l'Arabie Saoudite, de l'Afghanistan et du Pakistan persisteront jusqu'en 2025. À moins que les conditions du marché de l'emploi ne changent du tout au tout, la jeunesse des nations faibles continuera de partir ailleurs – externalisant ainsi la volatilité et la violence.

Les populations de plusieurs États à la base démographique d'une largeur déjà préoccupante – comme

Population totale

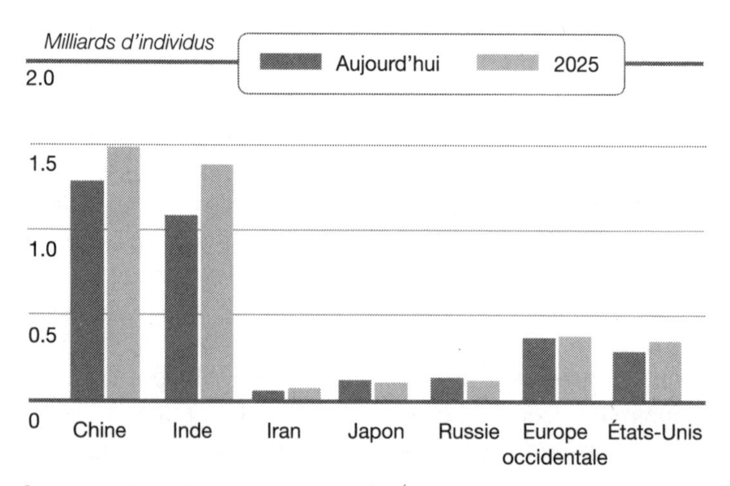

Source : données du Bureau de recensement des États-Unis (US Census).

Afghanistan, République démocratique du Congo (RDC), Éthiopie, Nigeria, Pakistan et Yémen – devraient se maintenir sur une courbe de croissance rapide. On prévoit que les populations du Pakistan et du Nigeria devraient croître de quelque 55 millions d'individus. L'Éthiopie et la RDC devraient grossir de 40 millions d'habitants chacune, alors que les populations d'Afghanistan et du Yémen devraient augmenter de plus de 50 % par rapport à 2008. Tous ces pays conserveront une pyramide des âges avec une forte proportion de jeunes adultes, une caractéristique démographique qui va souvent de pair avec l'éclatement de la violence politique et de guerres civiles.

Changer de lieu : migration, urbanisation et déplacements ethniques

Situations mouvantes. Ces vingt prochaines années, la migration nette des populations des zones rurales vers les zones urbaines et des pays les plus pauvres vers les plus riches va probablement continuer au même rythme, alimentée par un écart de sécurité économique et physique croissant entre régions voisines.

• L'Europe continuera d'attirer des immigrés des régions proches d'Afrique et d'Asie, à la fois plus jeunes, moins développées et en croissance plus rapide. Toutefois, avec le ralentissement de la croissance de leurs populations en âge de travailler et la hausse des revenus, d'autres pôles émergents d'industrialisation – la Chine et l'Inde du Sud, et peut-être aussi la Turquie et l'Iran – pourraient attirer une part de cette migration de main-d'œuvre.

• La migration de la main-d'œuvre vers les États-Unis va sans doute ralentir avec la croissance industrielle du Mexique et le vieillissement de sa population – une réaction aux déclins rapides de son taux de fécondité dans les années 1980 et 1990 – et à mesure que d'autres pôles concurrents apparaîtront au Brésil et dans le cône sud de l'Amérique latine.

Urbanisation. Si les tendances actuelles se confirment, d'ici à 2025, ce seront environ 57 % de la population mondiale qui vivront dans des zones urbaines, une hausse de 50 % par rapport à 2008. À cette date, le monde aura ajouté 8 mégapoles à la liste des 19 mégapoles actuelles – et, à une exception près, ces nouvelles venues seront toutes situées en Asie et en Afrique subsaharienne. Toutefois, l'essentiel de cette croissance urbaine sera localisée dans les villes plus petites de ces régions, qui s'étendent le long des grandes routes, autour des carrefours et des bandes côtières, souvent sans croissance du marché officiel de l'emploi et sans services adaptés.

Démographie identitaire. Là où les groupes ethnico-religieux ont connu des taux de natalité plus faibles, des populations jeunes appartenant à des groupes ethniques et des variations entre groupes d'âge pourraient déclencher des changements politiques marquants. Les variations dans la composition ethnico-religieuse résultant de l'immigration seraient aussi capables d'alimenter des changements politiques, en particulier quand les immigrants s'installent dans des pays industrialisés à faible taux de fécondité.

• Des taux de croissance disparates parmi les différentes communautés ethniques de l'État d'Israël pourraient encourager des mutations politiques au sein de la Knesset.

En 2025, les Arabes israéliens, qui composent à l'heure actuelle le cinquième de la population du pays, en représenteront le quart – cette population avoisinera alors les 9 millions d'habitants. Au cours de la même période, la communauté juive ultra-orthodoxe pourrait quasiment doubler et dépasser le dixième de la population totale.

• Indépendamment de ce que sera leur statut politique en 2025, les populations de Cisjordanie (à ce jour 2,6 millions d'habitants) et de Gaza (1,5 million d'habitants) auront grossi de façon substantielle : la Cisjordanie de presque 40 % ; Gaza de près de 60 %. En 2025, leurs deux populations cumulées – toujours jeunes, en augmentation, et approchant les 6 millions de personnes (ou plus selon certaines projections) – seront porteuses de défis inédits pour des institutions qui espèrent pouvoir créer un marché de l'emploi et des services publics adaptés, maintenir un approvisionnement suffisant en eau potable et en nourriture, et atteindre la stabilité politique.

Entre aujourd'hui et 2025, d'autres déplacements ethniques auront des implications régionales. Par exemple, la proportion croissante d'Amérindiens dans plusieurs démocraties andines et centre-américaines continuera vraisemblablement de pousser les gouvernements de ces pays vers des choix populistes. Au Liban, un déclin constant de la fécondité au sein de la population chiite – qui accuse actuellement un retard de revenu par rapport à ses voisins d'autres communautés tout en les dépassant par la taille de ses familles – entraînera cette population vers une pyramide des âges à base plus étroite. Cela pourrait approfondir l'intégration chiite dans les courants dominants de l'économie et la vie politique libanaise en apaisant les tensions communautaires.

L'Europe de l'Ouest est devenue la destination favorite de plus d'un million d'immigrants chaque année, et le foyer de plus 35 millions de natifs d'autres pays – principalement originaires de pays à majorité musulmane d'Afrique du Nord, du Moyen-Orient et d'Asie du Sud (voir encadré p. 133-134). Les politiques d'immigration et d'intégration, et les confrontations avec les conservateurs musulmans sur l'éducation, les droits des femmes et la relation entre l'État et la religion renforceront sans doute les organisations politiques situées à droite et au centre, et fragmenteront les coalitions politiques de la gauche et du centre qui ont joué un rôle capital dans le maintien de l'État-providence en Europe.

D'ici à 2025, les effets des transferts humains et de technologie dus aux migrations internationales commenceront à favoriser les pays les plus stables d'Asie et d'Amérique latine. Même si l'émigration des personnes ayant un métier continuera sans doute de priver de leurs talents les pays pauvres et instables d'Afrique et de certaines régions du Moyen-Orient, le retour probable dans leur pays de nombreux Asiatiques et Latino-Américains riches, instruits et établis aux États-Unis et en Europe contribuera à stimuler la compétitivité de la Chine, du Brésil, de l'Inde et du Mexique.

L'impact du sida

Ni un vaccin anti-HIV efficace, ni un microbicide en automédication, même s'ils étaient développés et testés avant 2025, ne seront sans doute, à cette date, largement diffusés. Les efforts de prévention et les changements de comportement infléchiront globalement les statistiques mondiales de contamination, mais les experts s'attendent que le sida reste une pandémie mondiale au-delà de 2025 avec son épicentre en Afrique subsaharienne. À l'inverse de la situation actuelle, la vaste majorité des individus vivant avec le virus HIV aura accès à des thérapies antirétrovirales qui prolongeront leur espérance de vie.

- Si les efforts de prévention et leur efficacité se maintiennent aux niveaux actuels, la population séropositive devrait atteindre 50 millions d'individus d'ici à 2025 – soit 33 millions de plus qu'aujourd'hui (22 millions en Afrique subsaharienne). Selon ce scénario, 25 à 30 millions de gens auraient besoin d'une thérapie antirétrovirale pour survivre au-delà de 2025.
- Selon un autre scénario, le déploiement d'une politique de prévention d'ici à 2015 entraînerait une augmentation puis une baisse de la population séropositive qui avoisinerait les 25 millions d'individus infectés dans le monde en 2025, ce qui donnerait un nombre de malades ayant besoin d'une thérapie antirétrovirale d'environ 15 à 20 millions.

Portraits démographiques : Russie, Chine, Inde et Iran

Russie : un État multiethnique en croissance ? Avec aujourd'hui environ 141 millions d'habitants, la population vieillissante et déclinante de Russie devrait passer sous les 130 millions en 2025. Les chances d'endiguer un déclin si abrupt au cours de cette période sont minces : la population des femmes de 20 à 30 ans – celles qui sont en âge d'avoir des enfants – va rapidement diminuer pour s'établir en 2025 à 55 % du total actuel.

Il est peu probable que le taux de mortalité élevé de la population masculine d'âge moyen change radicalement. Les minorités musulmanes qui ont conservé un taux de fécondité plus élevé constitueront de plus larges proportions de la population russe, de la même façon que les immigrants turcs et chinois. Selon des projections plus conservatrices, la part des minorités musulmanes dans la population de la Russie augmentera pour passer de 14 % en 2005 à 19 % en 2030, et à 23 % en 2050. Dans cette population décroissante, la part croissante de ceux qui ne sont pas des Slaves orthodoxes entraînera sans doute des soulèvements nationalistes. Les problèmes de natalité et de mortalité de la Russie étant appelés à se prolonger au-delà de 2025, l'économie russe – à l'inverse de celles du Japon et de l'Europe – devra prendre soin d'un grand nombre d'individus dépendants.

Les musulmans en Europe de l'Ouest

La population musulmane d'Europe de l'Ouest compte aujourd'hui entre 15 et 18 millions d'individus. Les plus fortes proportions de musulmans – entre 6 et 8 % – se trouvent en France (5 millions) et aux Pays-Bas (près de 1 million), suivis par des pays affichant des taux de 4 à 6 % : Allemagne (3,5 millions), Danemark (300 000), Autriche (500 000), Suisse (350 000). Le Royaume-Uni et l'Italie ont aussi des populations musulmanes relativement importantes (respectivement 1,8 million et 1 million) mais dans une proportion moindre par rapport au total (3 % et 1,7 %). Si les schémas d'immigration actuels perdurent et si le taux de fécondité au-dessus de la moyenne des résidents musulmans se confirme, l'Europe de l'Ouest pourrait compter de 25 à 30 millions de musulmans en 2025.

Les pays dont le nombre de musulmans va croissant enregistreront une mutation rapide de leur composition ethnique, en particulier autour des zones urbaines, ce qui compliquera leurs efforts d'assimilation et d'intégration. Les opportunités économiques seront certainement plus grandes dans les zones urbaines mais, sans accroissement des offres d'emplois, cette plus forte concentration pourrait déboucher sur des situations plus tendues et plus instables, comme celle qu'a connue la France à Paris et dans d'autres grandes villes, lors des émeutes de l'automne 2005.

S'ils perdurent, les taux de croissance lents, les marchés du travail fortement réglementés et les modes de gestion du travail dans les entreprises brideront les opportunités d'emploi, et ce malgré la nécessité pour l'Europe d'enrayer le déclin de sa population en âge de travailler. Couplés avec des pratiques discriminatoires en matière d'emploi et des disparités en matière d'éducation, ces facteurs confineront probablement beaucoup de musulmans dans des activités peu valorisantes et de rémunération médiocre, creusant ainsi les clivages ethniques. En dépit d'une couche assez large de musulmans intégrés, un nombre de plus en plus grand d'entre eux – poussés par un sentiment d'aliénation et d'injustice – risque de choisir de vivre en vase clos, dans des quartiers aux cultures et pratiques religieuses spécifiquement musulmanes.

Même si l'on ne doit guère s'attendre que les communautés immigrées obtiennent une représentation parlementaire suffisante pour influencer la politique intérieure ou la politique étrangère d'ici à 2025, les problématiques relatives aux musulmans seront de plus en plus susceptibles de façonner la scène politique européenne. Les tensions sociales et politiques permanentes autour de l'intégration des musulmans devraient rendre les décideurs politiques européens plus sensibles aux répercussions éventuelles, sur le plan intérieur, de leur politique vis-à-vis du Moyen-Orient, notamment en cas d'alignement trop étroit sur des positions américaines considérées comme pro-israéliennes.

Une Chine ancestrale ? D'ici à 2025, les démographes s'attendent que la Chine compte 1,4 milliard d'habitants, soit près de 100 millions de plus qu'actuellement. L'avantage d'avoir une vaste population active et de faibles segments de population dépendante (individus âgés ou très jeunes) s'atténuera autour de 2015, quand la population chinoise en âge de travailler diminuera. Le vieillissement démographique – l'effet conjoint de vastes couches de retraités et d'un nombre d'actifs relativement plus limité – aura été accéléré par des décennies de politique de contrôle des naissances et par une tradition de départ précoce à la retraite. En optant pour un ralentissement spectaculaire de la croissance démographique afin d'atténuer une demande exponentielle en énergie, en eau et en denrées alimentaires, la Chine précipite le vieillissement de sa population. D'ici à 2025, une vaste part de la population chinoise aura pris sa retraite ou en sera proche. S'il n'est pas impossible, avec le temps, que Pékin revienne sur ses politiques restrictives de contrôle des naissances afin de mieux équilibrer les nouvelles générations entre nouveau-nés de sexe masculin et féminin, en 2025, les adultes en âge de se marier connaîtront un déséquilibre marqué, la domination masculine générant un important réservoir d'hommes célibataires.

Deux Indes. Le taux de fécondité actuel de l'Inde, à raison de 2,8 enfants par femme, masque de profondes différences entre les États à faible fécondité de l'Inde du Sud et les grandes villes que sont Bombay, Delhi et Calcutta d'un côté, et les taux plus élevés des États populeux des régions du Nord où l'on parle l'hindi, dans lesquelles les femmes ont un statut inférieur et où les services accusent un retard. Vers 2025, surtout en raison de la croissance des États densément peuplés du Nord, la population de l'Inde devrait dépasser celle de la Chine – au moment où la population chinoise devrait, elle, atteindre un pic et entamer un lent déclin.

À ce stade, la dualité démographique de l'Inde aura creusé l'écart entre Nord et Sud. En 2025, la croissance de la population active sera surtout observée dans les régions rurales, pauvres et les plus peuplées du nord de l'Inde où l'éducation est peu développée. Bien que les familles d'Inde du Nord animées d'un fort esprit d'initiative aient vécu pendant des décennies dans les villes du Sud, l'arrivée de communautés entières de travailleurs non qualifiés de langue hindi recherchant du travail pourrait raviver les animosités latentes entre le gouvernement central de Delhi et les partis ethno-nationalistes du Sud.

Le parcours unique de l'Iran. Ayant connu l'une des baisses du taux de fécondité les plus rapides de l'histoire – de plus de 6 enfants par femme en 1985 à moins de 2 aujourd'hui –, la population de l'Iran est vouée, d'ici à 2025, à vivre des changements spectaculaires. Au cours de la décennie à venir, l'excédent démographique d'une jeunesse politiquement instable et très demandeuse d'emplois va largement se résorber, laissant place à une population plus âgée et à des taux de croissance de la population active comparables à ceux des États-Unis et de la Chine – près de 1 % par an. Dans ce laps de temps, la population en âge de travailler va s'accroître, ce qui multipliera les opportunités d'épargne, l'augmentation du niveau d'éducation des enfants et, par la suite, le transfert des activités et des emplois vers des secteurs d'activité plus techniques afin de rehausser les niveaux de vie. La capacité de l'Iran à profiter de cet avantage démographique dépend des dirigeants politiques du pays qui, pour le moment, sont hostiles aux marchés et à l'entreprise privée, ce qui perturbe les investisseurs, et se montrent plus attachés aux revenus du pétrole qu'à la création d'emplois.

Deux autres quasi-certitudes démographiques sont d'ores et déjà perceptibles : d'abord, malgré un taux de fécondité faible, la population iranienne passera de 66 à 77 millions d'habitants d'ici à 2025. Ensuite, à cette date, de nouvelles couches de population jeune seront en croissance – mais parmi elles, les individus de 15 à 24 ans ne constitueront qu'à peine un sixième du groupe de ceux qui sont en âge de travailler, contre un tiers aujourd'hui. Selon certains experts, cette évolution entraînera la résurgence d'une ligne politique révolutionnaire. Selon d'autres, dans l'Iran plus instruit et plus développé de 2025, les jeunes adultes trouveront plus attirant de faire carrière et de consommer que de participer à des politiques extrémistes. Une seule donnée est sûre concernant le futur de l'Iran : sa société sera démographiquement plus mûre que dans le passé et elle sera grandement différente de celle des pays voisins.

3

LES NOUVEAUX ACTEURS

Nouveau classement international en 2025 ?

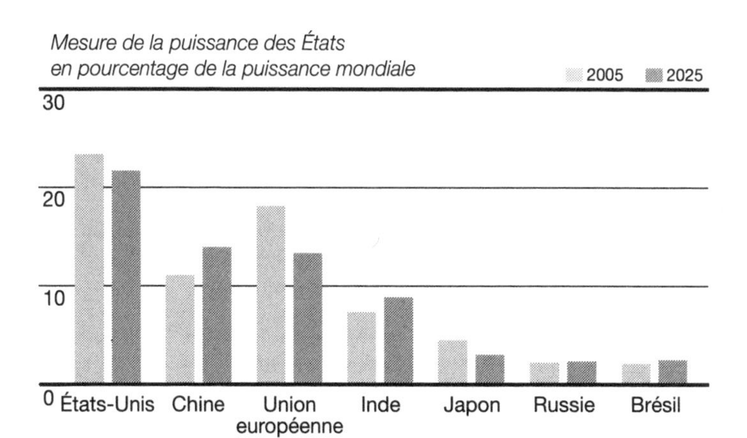

Source : International Future Model.

En 2025, les États-Unis seront un acteur de poids parmi d'autres sur la scène mondiale, tout en demeurant le plus puissant. Autour de 2025, le rapport d'influence politique et économique entre de nombreux pays devrait basculer, selon les projections d'International Futures prenant en compte le PIB, le budget de la défense, la population et la technologie de chaque État pris individuellement (voir graphique page 139)[1]. Historiquement, les systèmes multipolaires *émergents* ont été plus instables que les systèmes bipolaires ou même unipolaires. La diversité accrue et la puissance grandissante d'un plus grand nombre de pays annoncent aussi une perte de cohésion et d'efficacité du système international. La plupart des puissances émergentes réclament déjà d'avoir davantage voix au chapitre et, avec beaucoup d'Européens, contestent l'idée qu'une puissance unique ait le droit d'exercer son hégémonie. L'accélération relative du déclin de la puissance de l'Europe et du Japon est aussi un facteur de risque de perte de cohésion et de stabilité.

Si, selon nous, la Chine et l'Inde ont de bonnes chances de poursuivre leur ascension, celle-ci n'est pas garantie. Il faudrait pour cela que soient surmontés d'importants obstacles économiques et sociaux. Pour cette raison, ces deux nations resteront probablement très centrées sur elles-mêmes et, pour l'ensemble de la période comprise jusqu'à 2025 et même au-delà, la richesse par habitant y restera sensiblement inférieure à celle des économies occidentales. Dans ces pays émergents, la population continuera de se sentir défavorisée par rapport aux Occidentaux, même si leur PIB cumulé distancera de plus en plus celui des États occidentaux pris individuellement. Pour la Russie, conserver la place qu'elle occupe dans le peloton de tête depuis sa remarquable renaissance, à la fin des années 1990 et au début

1. L'évaluation de la puissance nationale est le produit d'un indice combinant les facteurs pondérés du PIB, des dépenses de défense, de la population et de la technologie. Calculée grâce au modèle informatique International Futures, elle s'exprime en termes de part relative (pourcentage) du total de la puissance mondiale.

du XXIe siècle, risque de se révéler extrêmement difficile. La démographie n'est pas tout mais il serait essentiel pour les ambitions à long terme de la Russie qu'elle diversifie son économie si elle entend conserver son statut après que le monde se sera affranchi de sa dépendance à l'égard des combustibles fossiles. L'Europe et le Japon auront aussi à affronter des défis démographiques. Les décisions qu'ils prennent aujourd'hui détermineront leurs évolutions dans le long terme.

Les effets de l'ascension de pays aussi peuplés que la Chine et l'Inde resteront sans égal dans le monde. Toutefois, d'autres nations jouissant d'une économie à fort potentiel – l'Iran, l'Indonésie ou la Turquie, par exemple – pourraient être appelés à jouer un rôle croissant sur la scène mondiale, notamment en instaurant de nouveaux modèles dans le monde musulman.

« ***Au cours des vingt à vingt-cinq prochaines années, peu de pays seront en position d'avoir davantage d'impact sur le monde que la Chine.*** »

Des poids lourds en ascension : la Chine et l'Inde

Chine : une route semée d'ornières. Au cours des vingt à vingt-cinq prochaines années, peu de pays seront en position d'avoir davantage d'impact sur le monde que la Chine. Si la tendance actuelle se confirme, en 2025 l'empire du Milieu sera devenu la deuxième économie mondiale et une puissance militaire majeure. Il pourrait aussi devenir le premier importateur mondial de ressources naturelles et un plus gros pollueur qu'il ne l'est aujourd'hui.

• Si la Chine devenait un concurrent militairement fort, dynamique sur le plan économique et gourmand sur le plan énergétique, les intérêts américains en matière de sécurité et d'économie pourraient être exposés à de nouvelles difficultés.

Le rythme de la croissance économique de la Chine va certainement baisser. Même de nouvelles réformes visant à apaiser des tensions sociales croissantes dues au creusement des disparités économiques, aux carences de la protection sociale, à des réglementations insuffisantes dans le monde des affaires, à ses importations d'énergie, à une corruption persistante, et à la dévastation de son environnement, n'y suffiraient pas. Aucun de ces problèmes ne se résoudra isolément mais s'ils s'envenimaient tous en même temps, ce grand pays pourrait se trouver dans une impasse. Même si le gouvernement chinois réussit à résoudre ces problèmes, il ne pourra pas garantir de hauts niveaux de performance économique. La majeure partie de la croissance économique chinoise sera toujours générée de l'intérieur mais certains secteurs clés dépendent néanmoins des marchés, des ressources et des technologies étrangers, ainsi que de réseaux de production mondialisés. Par conséquent, la santé économique de la Chine sera affectée par celle d'autres économies – notamment celles des États-Unis et de l'Europe.

En s'attaquant à ces défis, les dirigeants chinois doivent maintenir l'équilibre entre l'ouverture nécessaire au maintien de la croissance économique – essentielle pour que l'opinion publique tolère le monopole du Parti communiste sur le pouvoir – et les restrictions nécessaires à la protection de ce monopole. Face à tant de bouleversements sociaux et économiques, le Parti communiste et la position qu'il occupe risquent de connaître de nouvelles transformations. En fait, les dirigeants du Parti évoquent eux-mêmes ouvertement la nécessité de trouver de nouveaux moyens de préserver le rôle dominant du Parti. À ce jour, toutefois, l'ouverture du système à des élections et à une presse libres ne semble pas au programme. En outre, il n'est pas envisageable que la pression sociale impose l'avènement de la démocratie en Chine à l'horizon 2025. Cela étant dit, le pays pourrait s'acheminer vers davantage de pluralisme politique et vers l'obligation pour les autorités de rendre des comptes à leurs citoyens.

Les dirigeants chinois peuvent aussi continuer de gérer les tensions en misant sur une croissance robuste sans menacer le monopole politique du Parti, comme c'est le cas depuis trois décennies. Si un marasme économique prolongé peut représenter une réelle menace politique, le régime serait tenté de détourner les critiques en attribuant les malheurs de la Chine à des ingérences étrangères, attisant ainsi les formes les plus virulentes et les plus xénophobes du nationalisme Chinois.

• Historiquement, les peuples qui s'habituent à voir leur niveau de vie augmenter réagissent avec colère dès qu'on cesse de combler leurs attentes, et peu de peuples ont nourri davantage d'attentes que les Chinois.

• Le rang international de la Chine repose en partie sur le calcul des étrangers qui la voient comme « le pays de l'avenir ». Si les étrangers traitent le pays avec moins de déférence, les Chinois nationalistes pourraient réagir très vivement.

L'Inde : une ascension compliquée. Ces quinze à vingt prochaines années, les dirigeants indiens vont œuvrer en faveur d'un système international multipolaire dont New Delhi sera l'un des pôles, servant de passerelle entre une Chine montante et les États-Unis. La confiance grandissante de l'Inde sur la scène internationale, essentiellement due à sa croissance économique et à son bilan démocratique positif, pousse aujourd'hui New Delhi vers des partenariats avec de nombreux pays. Cependant, ces partenariats visent à maximiser l'autonomie de l'Inde, pas à la faire entrer dans une nouvelle coalition internationale.

L'Inde devrait continuer de jouir d'une croissance économique relativement rapide. Si le pays connaît des carences persistantes en termes d'infrastructures, de qualification de sa main-d'œuvre et de production énergétique, nous nous attendons à voir ses classes moyennes en plein essor, la jeunesse de sa population, son affranchissement progressif de l'agriculture et l'importance de son épargne intérieure et de ses taux d'investissements alimenter une croissance économique soutenue. Depuis quinze ans, l'impressionnante croissance économique de l'Inde a réduit le nombre des individus vivant dans la pauvreté absolue, mais l'accroissement du fossé entre pauvres et riches va devenir un problème politique d'importance.

Nous croyons que les Indiens resteront fermement attachés à la démocratie, mais le paysage politique pourrait devenir plus fragmentaire avec un pouvoir national partagé entre diverses coalitions politiques. À l'avenir, les élections déboucheront sans doute sur des coalitions bizarres aux mandats imprécis. L'orientation générale de la doctrine économique indienne a peu de chances de changer mais la cadence et l'ampleur des réformes varieront.

Les insurrections régionales et ethniques qui secouent le sous-continent depuis l'indépendance ont de grandes chances de persister, sans pour autant menacer l'unité indienne. New Delhi devrait garder confiance dans sa capacité à contenir le mouvement séparatiste au Cachemire. Toutefois, l'Inde risque de connaître un regain de violence et d'instabilité en plusieurs points de son territoire à cause de la portée croissante du mouvement maoïste naxalite.

Les dirigeants indiens ne voient pas en Washington un protecteur économique ou militaire, et ils estiment désormais que la situation internationale a rendu un tel protecteur inutile. Cela n'empêchera pas New Delhi de chercher à nouer des relations fécondes avec les États-Unis, en partie aussi pour se prémunir d'éventuelles relations hostiles avec la Chine. Les décideurs indiens sont convaincus que les capitaux, la technologie et la bienveillance des États-Unis demeurent essentiels à l'ascension de leur nation vers le statut de puissance mondiale. Les États-Unis demeureront l'un des principaux destinataires des exportations indiennes, la clé d'accès aux institutions financières internationales comme la Banque mondiale et au crédit commercial étranger, et sa première source de revenus. L'émigration indienne – essentiellement composée de professionnels hautement qualifiés – restera un élément essentiel de l'approfondissement des rapports entre l'Inde et les États-Unis. À mesure que New Delhi réduira les restrictions qu'il impose sur le commerce et l'investissement, le marché indien s'ouvrira plus largement aux biens américains. L'armée indienne bénéficiera aussi du renforcement des accords de coopération et de défense avec Washington. Toutefois, les dirigeants indiens veilleront probablement à ne pas nouer de liens qui pourraient ressembler à des alliances.

« ***La Russie a la capacité d'être plus riche, plus puissante et plus sûre d'elle-même en 2025 [...]. [Mais] de multiples contraintes pourraient limiter son aptitude à pleinement développer son potentiel économique.*** »

Les autres acteurs majeurs

La voie russe : expansion ou faillite. La Russie a la capacité d'être plus riche, plus puissante et plus sûre d'elle-même en 2025 à condition d'investir dans le capital humain, d'étendre et de diversifier son économie et de s'intégrer aux marchés mondiaux. En revanche, de multiples contraintes pourraient limiter son aptitude à pleinement développer son potentiel économique. Les plus importantes sont : une insuffisance des investissements énergétiques, d'énormes goulets d'étranglement dans les infrastructures, des secteurs de l'éducation et de la santé en piteux état, un secteur bancaire sous-développé, le crime et la corruption. Une conversion plus rapide que prévue aux carburants alternatifs ou une chute durable des cours mondiaux de l'énergie survenant avant que la Russie ait eu le temps de diversifier son économie auraient pour effet probable de limiter la croissance économique.

En 2025, le déclin de la population russe imposera des choix politiques drastiques. En 2017, par exemple, la Russie risque fort de ne compter que 650 000 hommes de 18 ans pour entretenir une armée reposant aujourd'hui sur 750 000 conscrits. Ce déclin de la population pourrait aussi avoir un coût économique, avec de graves carences de main-d'œuvre, notamment si le pays n'investit pas davantage dans son capital humain, ni dans les sciences et la technologie, et s'il n'emploie pas de main-d'œuvre immigrée.

Si la Russie diversifie son économie, elle pourrait développer un système politique plus pluraliste, mais pas nécessairement plus démocratique – le résultat d'une consolidation des institutions, d'une classe moyenne en pleine croissance et de l'émergence d'un nouvel actionnariat qui exigera d'être entendu.

Une politique étrangère plus résolue et plus influente paraît probable, témoignant du retour de Moscou parmi les acteurs principaux sur la scène mondiale, à la fois partenaire important pour les capitales occidentales, asiatiques et du Moyen-Orient, et chef de file de l'opposition à la domination mondiale américaine. Le contrôle de points névralgiques et de voies d'approvisionnement énergétiques cruciaux dans le Caucase et en Asie centrale – déterminants pour ses ambitions de superpuissance énergétique – sera un élément essentiel du rétablissement d'une sphère d'influence dans son voisinage proche. Une perception commune de la menace terroriste et du radicalisme islamiste pourrait rapprocher les politiques de sécurité russe et occidentale malgré les désaccords subsistant dans d'autres domaines et la persistance d'un fossé au plan des valeurs.

L'éventail des avenirs possibles de la Russie reste large à cause des différentes forces en présence dont les divergences sont tranchées – libéralisme économique d'un côté, autoritarisme politique de l'autre. Les tensions entre ces deux forces – et la vulnérabilité russe à d'éventuels déséquilibres dus à l'instabilité politique, à une crise majeure en politique étrangère ou à d'autres imprévus de cet ordre – nous interdisent d'exclure d'autres hypothèses, comme l'avènement d'un État pétrolier nationaliste et autoritaire, voire d'une véritable dictature, scénario improbable mais néanmoins plausible. Hypothèse moins probable, la Russie de 2025 pourrait aussi être un pays relativement plus ouvert et plus progressiste.

Europe : perte d'influence en 2025. Nous pensons qu'en 2025 l'Europe n'aura que lentement avancé dans la concrétisation du projet de ses élites et de ses dirigeants actuels : celui d'un acteur mondial cohérent, intégré et influent, capable d'user en toute indépendance d'une panoplie complète d'outils politiques, économiques et militaires pour défendre les intérêts européens et occidentaux et les idéaux d'universalité. L'Union européenne devra remédier au sentiment croissant d'un déficit démocratique entre Bruxelles et les électeurs, et dépasser le débat interminable sur ses structures institutionnelles.

L'UE sera en position de soutenir la stabilité politique et la démocratisation à la périphérie de l'Europe en accueillant de nouveaux pays membres des Balkans, et peut-être l'Ukraine et la Turquie. Cependant, l'incapacité persistante de persuader une opinion sceptique des bienfaits d'une intégration économique, politique et sociale approfondie et de s'attaquer au problème d'une population vieillissante et déclinante, en mettant en œuvre des réformes impopulaires pourrait faire de l'UE un géant immobilisé, trop occupé à régler ses querelles internes et ses rivalités nationales, et moins capable de transformer son poids économique en influence planétaire.

Le déclin des populations en âge de travailler mettra à rude épreuve le modèle social européen, véritable socle de la cohésion politique de l'Europe occidentale depuis la Seconde Guerre mondiale. L'avancée vers la libéralisation économique ne se fera qu'à pas comptés, jusqu'au moment où le vieillissement de la population ou une stagnation économique prolongée imposeront des changements plus radicaux – un seuil critique peu probable avant la prochaine décennie, ou même au-delà. Il n'y a pas de solution facile au déficit démographique de l'Europe si ce n'est à travers des coupes dans les systèmes de santé et de retraite, solution que la plupart des États n'ont pas commencé à mettre en place ni même à envisager. Les dépenses militaires continueront vraisemblablement de baisser, un moyen d'éviter la restructuration profonde des programmes d'aide sociale. Le défi de l'intégration des immigrés, notamment des communautés musulmanes, se posera de façon cuisante si les citoyens confrontés à une brusque révision à la baisse de leurs attentes se tournent vers un nationalisme plus étroit et la défense de leurs intérêts propres, comme cela s'est produit par le passé.

Il est probable que les perspectives stratégiques de l'Europe resteront plus étroites que celles de Washington, même si l'UE parvient à faire des réformes pour instaurer un « président européen », et un « ministre des Affaires étrangères européen » et si elle développe une plus grande capacité institutionnelle à la gestion des crises. Les divergences à l'intérieur de l'Europe dans la perception des menaces et l'improbabilité de la coordination des dépenses de défense font penser que l'UE ne sera pas une puissance militaire majeure en 2025. L'intérêt national des pays les plus grands continuera de compliquer la politique étrangère et de sécurité de l'UE et le soutien européen à l'OTAN pourrait s'éroder.

La question de l'adhésion de la Turquie à l'UE sera un test de l'ouverture vers l'extérieur de l'Europe d'ici à 2025. Le doute croissant concernant les chances d'Ankara ralentira probablement l'adoption par les Turcs de réformes en matière politique et de droits de l'homme. Un rejet catégorique pourrait avoir des conséquences plus grandes qui renforceraient dans le monde musulman – y compris parmi les minorités musulmanes d'Europe – l'idée d'une incompatibilité entre l'Occident et l'islam. Au sein de l'Europe, la première menace pourrait être la criminalité car les organisations transnationales eurasiennes – disposant de fonds importants grâce à leur participation dans des intérêts énergétiques et miniers – gagnent en puissance et étendent leur champ d'action. Il se pourrait qu'un gouvernement d'Europe centrale ou orientale, ou même plusieurs, tombent sous leur coupe.

En 2025, l'Europe continuera de lourdement dépendre de la Russie en matière d'énergie, malgré ses efforts pour améliorer ses rendements énergétiques, recourir aux énergies renouvelables, et réduire ses émissions de gaz à effet de serre. Des niveaux de dépendance différents, des approches différentes sur la maturité démocratique de la Russie et ses intentions économiques, et l'absence de consensus quant au rôle de Bruxelles pèsent sur les efforts de mise en place de politiques communes en matière de diversification énergétique et de sécurité. En l'absence d'une approche conjointe qui réduirait le poids de la Russie, cette dépendance suscitera l'attention constante de certains pays clés pour les intérêts de Moscou, notamment l'Allemagne et l'Italie, qui tiennent la Russie pour un fournisseur fiable. L'Europe risque de payer cher sa dépendance, surtout si les producteurs russes sont incapables de remplir leurs obligations contractuelles à cause d'un manque d'investissements dans leurs gisements gaziers. Un autre risque existe, celui de la corruption et de l'implication croissante du crime organisé dans le secteur énergétique eurasien qui se porterait sur le monde économique occidental et l'infecterait.

Le Japon : pris entre les États-Unis et la Chine. Le Japon va se trouver confronté à une réorientation majeure de sa politique intérieure et étrangère en 2025 tout en devant maintenir son statut de puissance moyenne supérieure. Sur le plan intérieur, le système politique, économique et social du Japon devra sans doute être restructuré pour répondre au déclin démographique, au vieillissement de son industrie et à une situation politique plus explosive. La décroissance de la population japonaise risque de contraindre les autorités à envisager de nouvelles politiques d'immigration, par exemple la possibilité pour les travailleurs étrangers occasionnels d'obtenir un visa de longue durée. Toutefois, les Japonais auront du mal à surmonter leurs réticences à naturaliser les étrangers. Le vieillissement de la population nippone exigera aussi le développement des systèmes japonais de santé et de logement afin d'assurer l'accueil de nombreuses personnes âgées en situation de dépendance.

La raréfaction de la main-d'œuvre – et l'aversion culturelle du Japon envers des travailleurs immigrés en grand nombre – aura un lourd impact sur les services sociaux et les rentrées fiscales. Il en résultera une augmentation des impôts et des appels renouvelés à une concurrence intérieure accrue pour faire baisser les prix des biens de consommation. On verra se poursuivre la restructuration des industries d'exportation de l'archipel qui se tourneront vers les produits de haute technologie, la production à forte valeur ajoutée et les technologies de l'information. Le recul du secteur agricole japonais va peut-être se poursuivre jusqu'à atteindre à peine 2 % de la main-d'œuvre, avec un accroissement correspondant de la facture des importations alimentaires. La population en âge de travailler, qui décline en chiffres absolus, comporte une part importante de 18-30 ans sans emploi ni formation, ce qui pourrait induire une pénurie de cols blancs.

Avec l'accroissement de la concurrence électorale, le système politique à parti unique du Japon se sera sans doute totalement désintégré en 2025. Il se peut que le Parti libéral démocrate se scinde en plusieurs partis concurrents mais il est plus probable que le Japon assiste à une recomposition, au terme d'un jeu de ruptures et d'alliances entre partis opposés, qui aboutira à une paralysie politique.

En matière étrangère, les orientations du Japon seront essentiellement influencées par celles de la

Chine et des États-Unis, avec quatre scénarios possibles.

• *Dans le premier scénario*, une Chine maintenant son actuel schéma de croissance économique gagnera en importance pour la croissance économique du Japon et Tokyo veillera au maintien de bonnes relations politiques et à l'ouverture plus grande du marché chinois aux biens japonais. Tokyo recherchera peut-être un accord de libre-échange avec Pékin bien avant 2025. Dans le même temps, la puissance militaire de la Chine et son influence dans la région seront pour les décideurs japonais une source de préoccupation croissante. Leur réponse probable sera de se rapprocher des États-Unis, d'accroître leurs capacités de défense antimissiles et antisubmersibles, de chercher à nouer des alliances régionales, par exemple avec la Corée du Sud, et de pousser au développement d'organisations internationales multilatérales en Asie orientale, notamment un sommet de l'Asie orientale.

• *Dans le deuxième scénario*, la croissance économique de la Chine s'essouffle ou ses politiques se font ouvertement hostiles à l'égard de pays de la région. En réaction, Tokyo chercherait probablement à affirmer son influence, d'une part en essayant de trouver un moyen de se joindre aux États démocratiques de l'Est asiatique, et de l'autre en poursuivant le développement de sa propre puissance nationale en misant sur des matériels militaires de pointe. Tablant dans ces circonstances sur le fort soutien de Washington, Tokyo pousserait à la formation de forums politiques et économiques dans la région pour isoler la Chine ou limiter son influence. Divers États de la région auraient ainsi à faire face au choix difficile entre le malaise persistant que leur inspire la puissance militaire du Japon et une Chine en passe de dominer la quasi-totalité de ses voisins. En conséquence, le Japon pourrait avoir à traiter avec un mouvement d'États d'Asie orientale non alignés soucieux de ne subir ni l'emprise de Tokyo ni celle de Pékin.

• *Dans le troisième scénario*, si l'engagement américain envers le Japon en matière de sécurité venait à faiblir ou à être perçu comme tel par Tokyo, le Japon pourrait décider de se rapprocher de Pékin sur les questions régionales et envisager, en dernière instance, des accords de sécurité conférant à la Chine un rôle de maintien de la stabilité dans les zones océaniques proches du Japon. Il est fort peu probable que Tokyo réponde à la perte du parapluie de sécurité américain en lançant un programme d'armement nucléaire, à moins de manifestations d'intentions hostiles claires de la Chine envers le Japon.

• *Le quatrième scénario* verrait les États-Unis et la Chine opérer des avancées significatives dans le sens d'une coopération en matière politique et de sécurité dans la région. Ces avancées aboutiraient à l'acceptation américaine d'une présence militaire chinoise dans la région et au réalignement ou au retrait correspondant des forces américaines qui y sont stationnées. Dans un tel cas, Tokyo suivrait presque certainement la tendance en se rapprochant de Pékin pour s'inscrire dans le cadre de ces accords régionaux en matière politique et de sécurité. De même, d'autres acteurs régionaux, dont la Corée du Sud, Taiwan et les membres de l'ASEAN, suivraient probablement le mouvement imprimé par les États-Unis, pressant encore davantage Tokyo d'aligner sa politique sur celle des autres acteurs de la région.

Brésil : de solides bases pour un rôle de chef de file. En 2025, le Brésil exercera sans doute une plus grande autorité régionale, *primum inter pares* au sein des forums sud-américains. Toutefois, en dehors de son rôle croissant dans la production d'énergie et les négociations marchandes, il ne montrera qu'une aptitude limitée à se projeter au-delà du continent en tant qu'acteur majeur dans les affaires du monde. Ses progrès en matière de consolidation démocratique et de diversification économique serviront de modèle régional.

L'engagement démocratique du pays semble sûr, les processus électoraux étant honnêtes et ouverts, et les transitions sans heurt. Le président en exercice, Lula da Silva, affiche une forte orientation socialiste et sa politique suit un cours modéré, tant sur le plan intérieur qu'international, établissant un précédent positif pour ses successeurs. Au Brésil, l'importance que revêt pour le pays le fait de jouer un rôle déterminant à l'échelon régional et mondial s'est profondément implantée dans la conscience nationale et transcende les partis politiques.

Sur le plan économique, Brasilia a posé les fondations solides d'une croissance soutenue assortie d'une stabilité politique et d'un processus progressif de réformes. Le consensus croissant autour d'une politique monétaire et fiscale responsable diminuera probablement l'éventualité de crises comme celles qui ont accablé le pays dans le passé. Il paraît improbable que d'ici à 2025 le Brésil s'écarte sensiblement du consensus économique actuel, que ce soit pour aller vers un modèle économique basé sur le marché et le libre-échange, ou vers un étatisme lourd.

La récente découverte de nouveaux gisements de pétrole au large des côtes ajoute une nouvelle dynamique à une économie déjà diversifiée, plaçant le pays sur la voie d'une croissance plus rapide. Une fois exploités, les gisements pétroliers identifiés dans le bassin de Santos – des réserves potentielles estimées à des dizaines de milliards de barils – pourraient faire du Brésil un exportateur majeur après 2020. Les hypothèses optimistes, qui présupposent un cadre légal et réglementaire attirant les investissements étrangers, prévoient que la part du pétrole dans le PIB s'élèvera en 2025 à 15 %. Même à ce stade, le pétrole ne serait qu'un complément aux autres sources de la richesse nationale.

« ***Les gisements pétroliers identifiés dans le bassin de Santos – des réserves potentielles estimées à des dizaines de milliards de barils – pourraient faire du Brésil un exportateur majeur après 2020.*** »

Les avancées sur des questions sociales telles que la réduction de la criminalité et de la pauvreté joueront probablement un rôle fondamental dans la définition du futur statut de chef de file du Brésil. En l'absence de progrès dans l'application des lois, la croissance économique, fût-elle rapide, sera bridée par l'instabilité découlant d'une criminalité et d'une corruption persistantes. Des mécanismes visant à intégrer une part croissante de la population dans l'économie formelle seront aussi nécessaires pour étayer la position du Brésil en tant que puissance mondiale modernisée.

Les puissances montantes

En raison de l'importance de la population et du territoire de nouvelles puissances telles que l'Inde et la Chine, il est peu probable que d'autres puissances fassent irruption sur la scène mondiale d'ici dix à vingt ans. Toutefois, certains États en voie de développement pourraient être à l'origine d'une part grandissante de la croissance économique mondiale. D'autres joueront aussi un rôle dynamique dans leur zone.

L'Indonésie, la Turquie et un Iran qui ne serait plus dirigé par les autorités religieuses – États à prédominance islamique, mais situés hors du monde arabe – paraissent bien placés pour tenir un rôle international plus important. Une politique macroéconomique favorisant la croissance permettrait à leurs atouts économiques naturels de prospérer. Dans le cas de l'Iran, une réforme politique radicale sera nécessaire.

Les performances de l'**Indonésie** dépendront de son aptitude à reproduire ses succès en matière de réformes politiques en prenant des mesures susceptibles de relancer l'économie. Depuis dix ans, les Indonésiens ont transformé leur pays autrefois autoritaire en démocratie, faisant de ce grand archipel un lieu de calme relatif : le soutien aux solutions politiques modérées est fort, les mouvements séparatistes s'effacent à peu près, et les terroristes, privés de soutien public, tombent de plus en plus nombreux aux mains des autorités. Dotée de ressources naturelles abondantes et d'une vaste population de consommateurs potentiels – en termes démographiques, c'est le quatrième pays du monde –, l'Indonésie pourrait connaître un redressement économique si ses élus prennent des mesures favorisant les investissements – notamment par le renforcement du droit, l'amélioration du cadre réglementaire, la réforme du secteur financier, la réduction des subventions sur le carburant et les produits alimentaires, et généralement par l'abaissement du coût de l'activité économique.

Concernant l'**Iran** – un État riche en gaz naturel, mais aussi en autres ressources et en capital humain –, les réformes politiques et économiques ainsi qu'un climat de stabilité propice aux investissements pourraient à la fois remodeler l'image du pays dans le monde et celle que les Iraniens ont d'eux-mêmes. Dans de telles circonstances, la reprise économique pourrait être rapide et aider une classe moyenne cosmopolite, éduquée et parfois laïque. Si elle gagnait en influence, cette population pourrait élargir les horizons du pays, en particulier vers l'est, et rompre avec des décennies d'enlisement dans les conflits arabes du Moyen-Orient.

Les récents bilans économiques témoignant d'une accélération de la croissance de la **Turquie**, de la vitalité de la classe moyenne émergente et de sa position géostratégique laissent entrevoir la perspective d'un rôle régional accru au Moyen-Orient. Ses faiblesses économiques, telles que la lourde dépendance du pays à l'égard des sources énergétiques étrangères, pourraient concourir à lui faire adopter un rôle international plus important, les autorités turques ayant apparemment l'intention de développer leurs relations avec les exportateurs d'énergie – notamment ses voisins : la Russie et l'Iran – et de conforter leur position de plaque tournante. Au cours des quinze prochaines années, la Turquie pourrait chercher à réaliser un équilibre entre tendances islamiques et nationalistes, qui servirait de modèle à d'autres pays du Moyen-Orient en voie de modernisation rapide.

SCÉNARIO PLANÉTAIRE I :
UN MONDE SANS OCCIDENT

Dans ce récit de pure fiction, de nouvelles puissances remplacent l'Occident à la tête des affaires mondiales. Cela n'a rien d'inévitable, et ce n'est pas la seule issue possible à l'émergence de nouveaux États. Historiquement, l'avènement de nouvelles puissances – comme le Japon et l'Allemagne à la fin du XIX*e et au début du* XX*e siècle – a posé problème au système international en place pour aboutir chaque fois à un conflit mondial. Hypothèse plus plausible à nos yeux qu'un défi lancé au système international : il se peut que les puissances émergentes assument un rôle renforcé dans des régions touchant à leurs intérêts vitaux, surtout si les pays occidentaux n'ont plus les moyens d'endosser un fardeau devenu trop lourd pour eux.*

Une telle coalition pourrait concurrencer des institutions comme l'OTAN, offrant à d'autres une alternative à l'Occident. Comme nous l'avons expliqué, nous ne tenons pas ces coalitions alternatives pour des données nécessairement définitives du nouvel environnement international. En fait, étant donné la diversité des intérêts en jeu et la course aux matières premières, les nouvelles puissances pourraient tout aussi aisément s'éloigner que se rapprocher les unes des autres. Si les puissances émergentes risquent fort de se soucier d'abord des questions intérieures et de leur développement économique comme nous le soulignons dans ce chapitre, elles auront la capacité de jouer un rôle dans le monde.

Les conditions préalables à un tel scénario :

- *Une croissance occidentale molle incite les États-Unis et l'Europe à prendre des mesures protectionnistes à l'encontre de pays émergents en croissance plus rapide qu'eux.*

- *Différents modèles de relations État-société aident au renforcement de la puissante – quoique fragile – coalition sino-russe.*

- *Les tensions entre les principaux acteurs du monde multipolaire sont fortes, les États recherchant la sécurité énergétique et le renforcement de leur sphère d'influence. L'Organisation de coopération de Shanghai (OCS), en particulier, cherche des clients fiables et sérieux dans les régions stratégiques – et l'Asie centrale est à la fois dans l'arrière-cour de la Russie et de la Chine.*

上海合作组织

The Shanghai Cooperation Organisation

Шанхайскаяорганизациясотрудничества

Lettre du président de l'Organisation de coopération de Shanghai au secrétaire général de l'OTAN

15 juin 2015

Je sais que nous nous rencontrons demain pour entamer notre dialogue stratégique, mais je tenais au préalable à vous faire part de mes réflexions concernant l'OCS et le chemin parcouru jusqu'ici. Voici quinze à vingt ans, je n'aurais jamais imaginé que l'OCS deviendrait l'égale de l'OTAN – et a fortiori, sans forfanterie de ma part, une organisation internationale plus importante encore. De vous à moi, nous n'étions pas voués à la « grandeur » s'il n'y avait eu ce faux pas de l'Occident.

Je crois qu'il est juste de dire que tout a commencé quand vous vous êtes retirés d'Afghanistan sans avoir rempli votre mission de pacification envers les talibans. Je sais que vous n'aviez guère le choix. Des années de faible croissance, voire de stagnation aux États-Unis et en Occident, ont asséché vos budgets militaires. Les Américains se sont sentis surexploités et les Européens n'allaient pas se priver d'une forte présence américaine. La situation afghane menaçait de déstabiliser l'ensemble de la région et nous ne pouvions pas nous tenir passivement à l'écart. Outre l'Afghanistan, nous recevions des renseignements préoccupants sur des gouvernements « amis » d'Asie centrale soumis à la pression des mouvements islamiques radicaux, alors que nous continuons à dépendre des sources d'énergie de cette même Asie centrale. Chinois et Indiens se sont montrés très réticents à entrer dans la mêlée avec ma patrie – la Russie –, mais ils n'avaient pas de meilleure alternative. Aucun de nous ne voulait laisser les commandes à l'autre : tel était notre degré de suspicion réciproque qui, à dire vrai, ne s'est à ce jour pas démenti.

En réalité, cette première action de « maintien de la paix » de l'OCS a vraiment fait connaître cette organisation. C'est elle qui a assuré son essor. Avant cet événement marquant, le terme de « coopération » ne méritait pas vraiment de figurer dans son intitulé. Il aurait été plus réaliste de parler d'« Organisation shanghaïenne de méfiance mutuelle ». La Chine, ne voulant pas s'aliéner les États-Unis, ne s'est pas associée aux efforts antiaméricains de la Russie. L'Inde n'était là que pour ouvrir l'œil à la fois sur la Chine et la Russie. Les pays d'Asie centrale ont cru pouvoir utiliser l'OCS à leurs propres fins pour monter les deux grandes puissances l'une contre l'autre. Le président iranien Ahmadinejad était prêt à se rallier à tout ce qui sentirait un peu l'antiaméricanisme.

Pourtant, en dépit de toutes ces manœuvres, l'OCS ne serait jamais devenue un « bloc » s'il n'y avait eu l'antagonisme croissant affiché par les États-Unis et l'Europe à l'encontre de la Chine. La solidité des liens entre la Chine et les États-Unis avait curieusement conféré à Pékin une certaine légitimité. La Chine aussi aurait profité d'une forte présence américaine dans la région ; les voisins asiatiques de Pékin se seraient davantage préoccupés de l'ascension chinoise s'ils n'avaient pas disposé du rempart américain. La Chine et l'Inde se satisfaisaient du statu quo et ne souhaitaient pas s'engager dans une alliance puissante avec nous, les Russes, par peur de se mettre les Américains à dos. Tant que le statu quo se maintenait, les chances pour l'OCS de constituer un « bloc » restaient limitées.

C'est alors que sont apparus aux États-Unis et en Europe des mouvements protectionnistes conduits par une coalition de forces balayant l'éventail politique d'un extrême à l'autre. Les investissements chinois, soumis à davantage de contrôle, ont été de plus en plus souvent exposés à des refus. Le fait que la Chine et l'Inde aient été les premières à adopter quantité de nouvelles technologies – l'Internet nouvelle génération, l'eau propre, le stockage énergétique, les technologies de la biogérontologie, le charbon propre et les biocarburants – n'a fait qu'amplifier les frustrations d'ordre économique. Les barrières protectionnistes ont été levées. Un bouc émissaire allait devoir payer le prix de cette récession qui s'éternisait en Occident mais pas vraiment ailleurs. La modernisation militaire de la Chine a été perçue comme une menace et on a beaucoup parlé à l'Ouest du rejet par les pays émergents de la protection des voies maritimes par les États-Unis. Il va sans dire que cette opposition à l'Occident a donné lieu à un mouvement nationaliste en Chine.

Détail intéressant, nous autres Russes, nous avons observé tout cela en coulisse, sans trop savoir quoi faire. Nous étions ravis de voir nos bons amis occidentaux recevoir une belle raclée économique. On était encore loin de ce que nous avions nous-mêmes connu dans les années 1990 et, bien entendu, nous avons aussi essuyé un rude revers quand les prix de l'énergie se sont affaissés à cause de la récession occidentale. Mais nous avions pris la précaution d'accumuler d'importantes réserves.

Au bout du compte, ces événements ont été un véritable don du ciel parce qu'ils ont jeté Russes et Chinois dans les bras l'un de l'autre. Jusqu'alors, la Russie s'était montrée plus méfiante envers la croissance chinoise que les États-Unis. C'est vrai, nous avions parfois évoqué notre intention de réorienter l'ensemble de nos exportations énergétiques vers l'Est, histoire d'effrayer les Européens. Mais nous avons aussi joué la Chine contre le Japon en laissant certains choix en suspens, sans vraiment donner suite. Notre préoccupation première était la Chine. La crainte de voir Pékin prendre le contrôle de l'extrême est de la Russie était réelle mais je crois qu'à nos yeux la menace majeure c'était une Chine trop puissante – qui, par exemple à l'ONU, ne se cacherait pas éternellement dans les jupes de la Russie. La rupture sino-soviétique était aussi dans les esprits. J'étais pour ma part très remonté contre l'éternel discours des Chinois – surtout ne pas répéter les erreurs soviétiques. C'était pénible à entendre. Non que les Chinois n'aient eu raison, mais admettre que nous avions échoué là où ils risquaient de réussir – voilà de quoi hérisser la fierté russe.

À présent tout cela est derrière nous. Disposer de la technologie permettant un usage propre des combustibles fossiles a été une vraie manne.

L'Occident nous l'a-t-il fournie ou l'aurions-nous volée, comme on l'a prétendu ? Là n'est plus la question. Nous y avons vu une opportunité de consolider un lien fort – en offrant aux Chinois la possibilité de disposer d'un approvisionnement énergétique fiable et de moins dépendre des voies maritimes du Moyen-Orient. En échange, ils ont signé avec nous des contrats de long terme. Nous avons aussi appris à coopérer avec l'Asie centrale au lieu de chercher à mutuellement nous nuire en intervenant auprès de différents régimes. Voyant se consolider un fort partenariat sino-russe, les autres – l'Inde, l'Iran, etc. – n'ont pas voulu rester en marge et se sont ralliés à nous. Évidemment, le fait que les protectionnistes américains et européens mettent l'Inde dans le même sac que la Chine nous a été profitable, parce que ces pays n'avaient dès lors plus vraiment d'autre choix.

Jusqu'à quel point les relations sont-elles stables dans le monde ? Nous ne vivons pas une nouvelle guerre froide. Nous parlons beaucoup de capitalisme d'État et d'autoritarisme, sans qu'il s'agisse d'une idéologie comparable au communisme. Et il est de notre intérêt mutuel que la démocratie ne recule pas en Asie centrale car la Russie et la Chine seraient alors la cible de soulèvements. Je ne prétendrai pas que Russes et Chinois s'apprécient vraiment plus qu'autrefois. En fait, nous devons les uns et les autres nous soucier de ne pas laisser nos nationalismes respectifs faire obstacle à nos intérêts mutuels. Disons-le ainsi : les peuples russe et chinois ne sont pas follement épris l'un de l'autre. Les Russes veulent se faire respecter en tant qu'Européens, pas en tant qu'Eurasiens, et, au fond de leur cœur, les élites chinoises demeurent encore tournées vers l'Occident. Mais on a déjà vu des expédients provisoires devenir définitifs.

4

LA RARETÉ AU MILIEU DE L'ABONDANCE ?

Le système international sera mis en difficulté par la multiplication des contraintes énergétiques alors même qu'il aura à gérer l'irruption sur la scène de nouveaux acteurs. Ces quinze à vingt prochaines années, l'accès à des sources d'énergie relativement sûres et propres et la gestion de pénuries chroniques de nourriture et d'eau vont prendre de plus en plus d'importance pour un nombre croissant de pays. Le seul ajout, en 2025, de plus d'un milliard d'habitants dans le monde suffira à peser sur ces ressources vitales. Une part croissante de la population mondiale migrera des zones rurales vers les zones urbaines et développées à la recherche d'une meilleure sécurité individuelle et d'opportunités économiques. Beaucoup – notamment en Asie – accéderont aux classes moyennes et chercheront à imiter le mode de vie occidental, qui suppose une plus grande consommation par habitant de toutes ces ressources. À la différence des précédentes périodes de grande pénurie, l'augmentation sensible de la demande des marchés émergents, associée aux contraintes pesant sur les productions nouvelles – telles que le contrôle aujourd'hui exercé par des entreprises d'État sur le marché énergétique mondial –, limite la probabilité de voir les forces du marché rectifier seules les déséquilibres de l'offre et la demande.

La tension s'accentuera dans le secteur des matières premières, exacerbée par le changement climatique

La « mauvaise passe » : flux d'exportation de pétrole du Moyen-Orient

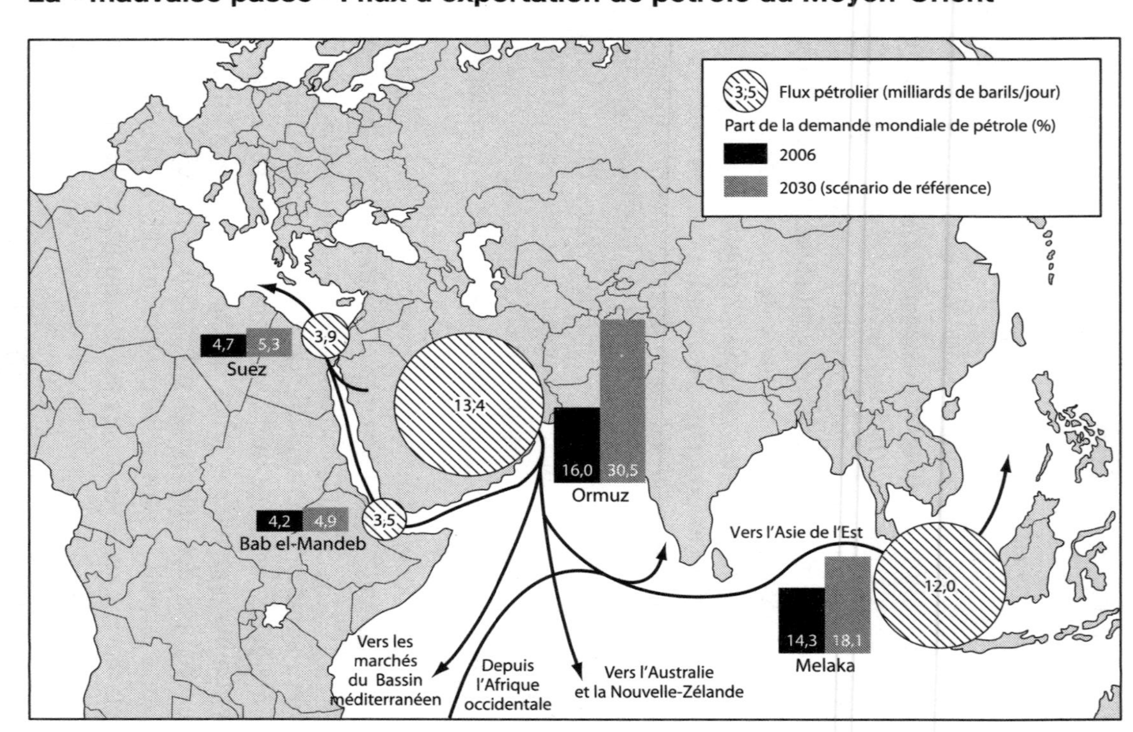

Source : Agence internationale de l'énergie, perspectives énergétiques mondiales.

dont les effets, accélérés par l'augmentation continuelle de la demande d'énergie, s'aggraveront tout au long de cette période. L'imposition de restrictions de consommation de combustibles fossiles sans d'autres offres alternatives d'ici là pourrait entraver le développement économique, notamment en Chine dont l'industrie n'a pas encore atteint de hauts niveaux de rendement énergétique. Les progrès technologiques et les décisions politiques prises dans le monde en matière d'émissions de gaz à effet de serre ces quinze prochaines années seront sans doute déterminants pour limiter ou non la hausse de la température du globe de 2 degrés centigrades – seuil au-delà duquel on estime que les effets du réchauffement cessent d'être gérables.

L'eau et la nourriture sont liées aussi au changement climatique, à l'énergie et à la démographie. L'augmentation du coût de l'énergie se répercute sur le consommateur et l'environnement, dans l'agriculture industrielle et dans les fertilisants pétrochimiques. L'affectation de terres arables aux cultures bio-énergétiques fournit une solution limitée et risque d'exacerber à la fois le problème de l'énergie et celui de l'alimentation. Sur le plan du climat, les anomalies qui frappent les précipitations, la réduction des chutes saisonnières de neige et la fonte des glaciers compliquent les effets de la pénurie d'eau, nuisant à l'agriculture de nombreuses régions du monde. Les dynamiques de l'énergie et du climat s'associent aussi pour amplifier un certain nombre d'autres maux que sont les problèmes de santé, les pertes agricoles dues aux nuisibles et les dégâts dus aux intempéries. Le plus grand danger risque de naître de la convergence et de l'interaction de plusieurs sources de tensions simultanées. Cela provoquerait des situations complexes et inédites susceptibles de dépasser les capacités d'intervention des décideurs.

L'aube de l'après-pétrole ?

En 2025, le monde se trouvera au milieu d'une transition énergétique fondamentale – aussi bien en termes de type de combustible que d'approvisionnement. La production extérieure à l'OPEP d'hydrocarbures liquides (c'est-à-dire le pétrole brut, les gaz naturels liquides et les combustibles non conventionnels comme les schistes bitumineux) ne sera pas capable de répondre à l'augmentation de la demande. Les niveaux de production de nombreux pays – le Yémen, la Norvège, Oman, la Colombie, le Royaume-Uni, l'Indonésie, l'Argentine, la Syrie, l'Égypte, le Pérou, la Tunisie – déclinent déjà. D'autres – le Mexique, Brunei, la Malaisie, la Chine, l'Inde, le Qatar – ont touché le fond. Le nombre de ceux capables d'augmenter leur production de façon significative va se réduire. Six pays – l'Arabie Saoudite, l'Iran, le Koweït, les Émirats arabes unis, l'Irak (potentiellement) et la Russie – devraient représenter 39 % de la production pétrolière mondiale en 2025. Les producteurs majeurs seront ceux du Moyen-Orient, où se trouvent environ les deux tiers des réserves mondiales. On s'attend à voir la production de l'OPEP dans les pays du Golfe croître de 43 % entre 2003 et 2025. L'Arabie Saoudite seule assurera près de la moitié de la production totale du Golfe, pour une quantité supérieure à celle que l'on attend de l'Afrique et de la Caspienne cumulées.

L'une des conséquences de cette concentration a été le renforcement du contrôle des ressources pétrolières et gazières par des compagnies pétrolières nationales. Quand le Club de Rome avait émis ses fameuses prévisions sur la menace de pénurie énergétique, les « sept sœurs » exerçaient encore une forte influence sur la production de pétrole dans le monde[1]. Conduites par leurs actionnaires, elles guettaient les signes émis par le marché pour explorer, investir et promouvoir les technologies nécessaires à l'accroissement de la production. À l'inverse, les entreprises pétrolières nationales subissent de fortes incitations politiques et économiques pour limiter leurs investissements, afin de repousser l'horizon de la production. Ne pas extraire ce pétrole offre des ressources aux générations futures des pays pétroliers qui ont restreint leurs options économiques.

Le nombre de producteurs et leur dispersion géographique continueront de décroître face à la concurrence d'une autre transition énergétique : le passage à des carburants plus propres. Le plus recherché à court terme sera probablement le gaz naturel. En 2025, on s'attend à voir sa consommation augmenter d'environ 60 %, selon les projections de l'Energy Information Agency du département de l'Énergie. Si les gisements de gaz naturel ne sont pas nécessairement voisins de ceux du pétrole, ils n'en sont pas moins fortement concentrés. Trois pays – la Russie, l'Iran et le Qatar – détiennent plus de 57 % des réserves mondiales. Si l'on considère à la fois le pétrole et le gaz naturel, deux pays – la Russie et l'Iran – sont les pivots de la produc-

1. Les « sept sœurs » sont les sept entreprises pétrolières occidentales qui ont dominé la production, le raffinement et la distribution de pétrole au milieu du XXe siècle. Avec la formation et la création de l'OPEP dans les années 1960 et 1970, l'influence et le poids de ces entreprises pétrolières occidentales ont décliné.

tion énergétique. L'Amérique du Nord (États-Unis, Canada et Mexique) assurerait quant à elle une part non négligeable – 18 % – de la production mondiale en 2025.

« ***Le vieillissement de la population dans le monde développé, l'accroissement des restrictions dans la production d'énergie, de nourriture et d'eau, ainsi que les difficultés liées au changement climatique vont probablement peser sur ce qui restera comme une ère de prospérité sans précédent.*** »

Le charbon sera peut-être la ressource énergétique qui connaîtra la plus forte croissance, tout en étant la plus « sale ». L'augmentation du prix du pétrole et du gaz naturel conférerait un nouvel attrait aux sources d'énergie bon marché, abondantes et proches de leurs débouchés. Trois pays – les États-Unis, la Chine et l'Inde – sont les principaux consommateurs d'énergie, et leur appétit ne cesse de croître. Avec la Russie, ils possèdent les quatre plus grosses réserves de charbon extractible du monde, qui représentent 67 % des réserves connues. L'accroissement de la production de charbon pourrait prolonger d'un siècle ou deux l'existence de systèmes fondés sur l'énergie non renouvelable à base de ce combustible. En 2025, la Chine sera encore très dépendante de la houille, et on s'attend à voir Pékin soumis à des pressions internationales croissantes pour le recours à des technologies de combustion propres. Malgré un PIB nettement inférieur, la Chine devance les États-Unis au palmarès des émetteurs de carbone dans l'atmosphère.

Répartition des sources énergétiques probables

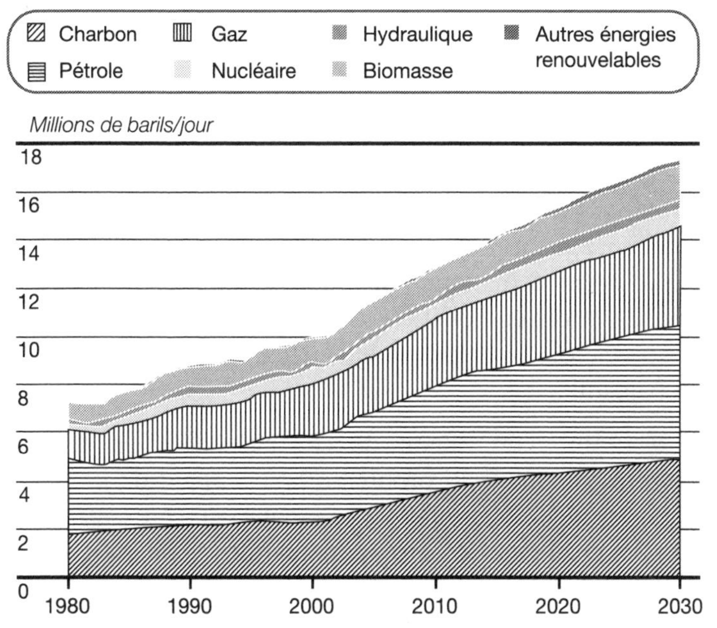

Note : La demande mondiale augmentera de plus de moitié au cours du prochain quart de siècle, avec une augmentation de la consommation de charbon en termes absolus.
Source : PFC Energy International.

On prévoit une augmentation du recours au nucléaire pour la production d'électricité, mais elle restera insuffisante pour répondre à une demande croissante. La troisième génération de réacteurs nucléaires a fait baisser les coûts de production et amélioré la sécurité et les modes de gestion des déchets et de la prolifération. Ces réacteurs sont désormais compétitifs aux prix actuels de l'électricité et commencent à être installés dans plusieurs régions du monde. Si la plupart des centrales nucléaires sont aujourd'hui localisées dans les pays industrialisés, l'augmentation de la demande d'électricité de la Chine, de l'Inde, de l'Afrique du Sud et d'autres pays en croissance rapide va rendre le nucléaire plus attractif.

L'approvisionnement en uranium, principale matière première de l'énergie nucléaire, ne devrait pas constituer un problème. Il est probable que l'uranium disponible suffira largement à alimenter l'expansion du nucléaire jusqu'à la seconde moitié du siècle. Si l'uranium venait à manquer, des réacteurs capables de générer d'autres combustibles, associés au recyclage de matières fissiles, devraient suffire à poursuivre cette expansion.

Toutefois, en raison de ses exigences en termes d'infrastructures, du problème préoccupant de la prolifération des techniques et des matériaux nucléaires, et des incertitudes de la réglementation et du traitement des déchets, il est à peu près impossible que l'expansion de la production nucléaire parvienne, en 2025, à répondre à une demande en croissance. Les obstacles en termes d'infrastructures – humaines et matérielles –, de loi – autorisations – et de fabrication sont trop importants. Il faudra attendre le terme de notre période d'étude pour probablement assister à une réelle explosion de ces technologies.

Tout est affaire de timing

Toutes les technologies actuelles seront inadéquates pour remplacer les architectures énergétiques traditionnelles à l'échelle requise et, en 2025, les nouvelles technologies de l'énergie ne seront sans doute pas commercialement viables et répandues (voir encart p. 182 et suiv.). L'actuelle génération de biocarburants, trop onéreuse (coûts agricoles), ferait augmenter davantage encore le prix des denrées alimentaires, et leur fabrication consomme peu ou prou la quantité d'énergie qu'elles produisent. D'autres méthodes de transformation des ressources de la biomasse en combustibles et en produits chimiques devraient être plus prometteuses, notamment celles qui reposent sur les algues à croissance rapide ou l'exploitation des déchets agricoles, en particulier la biomasse cellulosique. Le développement des technologies propres du charbon, de la capture et du stockage du carbone, gagne en importance. Si elles étaient rentables en 2025, elles permettraient de générer davantage d'énergie électrique tirée du charbon dans un environnement régulateur restrictif envers le carbone. Les piles à hydrogène ne manquent pas de potentiel, mais elles en sont encore au stade embryonnaire, et n'atteindront pas celui de la production commerciale avant au moins dix ans. Les infrastructures nécessaires à une « économie de l'hydrogène » exigeraient un investissement colossal. Une étude du Laboratoire national d'Argonne a montré que l'hydrogène, du gisement au réservoir, serait probablement deux fois plus coûteux que l'essence.

Même si les biocarburants, le charbon propre ou l'hydrogène profitaient de politiques favorables et des financements qu'ils requièrent, il demeure qu'historiquement, les grandes avancées technologiques subissent toujours un « retard d'adoption ». Une récente étude a révélé que, dans le secteur énergétique, il faut en moyenne vingt-cinq ans pour qu'une nouvelle technique de production soit largement adoptée. L'une des principales raisons de ce retard tient aux nouvelles infrastructures nécessaires à la mise en œuvre des innovations majeures. Or, dans le cas du secteur énergétique, il s'agit d'investissements massifs et prolongés qui couvrent une durée d'exploitation de près de cent cinquante ans. Ils englobent toutes les activités liées à la production, au transport, au raffinage, à la mise sur le marché et à la vente au détail. L'adoption du gaz naturel, combustible à bien des égards supérieur au pétrole, illustre bien la difficulté de la transition vers la nouveauté. Les technologies nécessaires à l'usage du gaz naturel sont largement disponibles depuis les années 1970, mais le gaz naturel reste à la traîne du pétrole sur le marché mondial parce que les exigences techniques et les investissements pour le produire et le transporter sont supérieurs à ceux que requièrent les combustibles pétroliers.

Sur les vingt prochaines années, on estime que la seule réponse à la demande énergétique va exiger un investissement supérieur à 3 billions de dollars dans les hydrocarbures traditionnels produits par des entreprises vieilles de plus d'un siècle et valorisées sur les marchés en centaines de milliards de dollars. Devant la faible probabilité de voir une nouvelle forme d'énergie utiliser les infrastructures existantes sans qu'il y soit apporté de modifications, on s'attend que toute nouvelle forme d'énergie exige le même type d'investissements massifs.

Bien que cette prédiction ne recueille pas aujourd'hui de véritable consensus, on ne peut totalement écarter la possibilité d'une transition en 2025 qui fasse l'économie des coûts de l'adaptation des infrastructures. La meilleure chance d'une transition relativement rapide et peu coûteuse au cours de la période considérée réside dans les sources renouvelables – photovoltaïque et éolienne – et dans les progrès de la technologie des batteries. Pour nombre de ces technologies, l'obstacle du coût d'infrastructure de chaque projet unitaire serait réduit. Cela permettrait à de nombreux acteurs économiques de dimension modeste de développer un projet de transformation énergétique servant directement leurs intérêts – par exemple des piles à combustible stationnaires pour alimenter foyers et bureaux, recharger des automobiles hybrides et revendre de l'énergie au réseau. En outre, certains modes de conversion de l'énergie – comme la génération d'hydrogène pour des piles à combustible automobiles, à partir de l'électricité du garage d'un simple particulier – pourraient éviter le développement d'infrastructures complexes pour le transport de l'hydrogène. De même, les biocarburants sans éthanol dérivés de matières premières génétiquement modifiées pourraient tirer profit des investissements considérables exigés pour le transport et la distribution du pétrole liquide.

La géopolitique de l'énergie

Que ce soit à la hausse ou à la baisse, les fluctuations du prix de l'énergie auront des implications géopolitiques majeures et, sur les vingt prochaines années, on risque d'assister à ces deux types de mouvements. L'Energy Information Administration du département américain de l'Énergie et plusieurs grands cabinets d'analyse et de conseil en énergie penchent pour une augmentation des prix, au moins jusqu'en 2015, à cause de la stagnation de l'offre et de l'accroissement de la demande. Ces causes diffèrent de la situation des années 1970 et du début des années 1980, où la hausse du pétrole avait été provoquée par une restriction volontaire de l'offre. Malgré l'augmentation générale séculaire du coût de l'énergie, les cours passeront par des phases où le baril descendra nettement au-dessous des 100 dollars, du simple fait d'une instabilité qui ne devra rien aux avancées technologiques ou à la commercialisation rapide d'un combustible de substitution. Parmi les scénarios plausibles de tendance à la baisse et d'une modification de la psychologie du marché, mentionnons le ralentissement de la croissance planétaire, l'accroissement de la production en Irak, en Angola, en Asie centrale et ailleurs et un meilleur rendement énergétique à partir des technologies aujourd'hui disponibles.

« ***La hausse des cours offrirait aux principaux exportateurs comme la Russie et l'Iran les moyens financiers de renforcer leur puissance nationale.*** »

Même avec un baril de pétrole au-dessous de 100 dollars, les transferts financiers liés au commerce de l'énergie génèrent des gains importants et des pertes considérables. La plupart des 32 États qui couvrent 80 % ou plus de leurs besoins énergétiques par des importations connaîtront probablement une croissance économique sensiblement plus lente que si le pétrole avait été moins cher. Selon des experts indépendants, nombre de ces pays sont susceptibles de connaître une défaillance de leur État – la République centrafricaine, la République démocratique du Congo, le Népal et le Laos, par exemple. Les États se caractérisant par une forte dépendance envers les importations, un faible PIB par habitant, un important déficit courant et un lourd endettement international ont tous un profil à risque. Ce profil s'applique à presque tous les pays africains de l'est du continent et à la Corne de l'Afrique. Des pays en position de pivot, mais exposés à des difficultés, comme le Pakistan par exemple, pourraient connaître eux aussi la défaillance de leur État.

Face à des *cours plus élevés*, les pays plus stables s'en sortent mieux, mais leurs perspectives de croissance économique déclineront légèrement, avec des risques de turbulences politiques. Les économies de l'OCDE, efficaces et très axées sur les services, ne sont pas immunisées contre la hausse des cours, mais elles en seront les moins affectées. La Chine, malgré l'amortisseur de ses immenses réserves financières, ressentirait quand même la hausse du pétrole, ce qui compliquera singulièrement ses efforts pour arracher encore des millions de Chinois à la pauvreté. Elle devrait en outre extraire et transporter davantage de charbon domestique, bâtir de nouvelles centrales nucléaires et chercher à améliorer le rendement énergétique des usagers, afin de compenser l'augmentation de ses importations.

La hausse des cours offrirait aux principaux exportateurs comme la Russie et l'Iran les moyens financiers de renforcer leur puissance nationale. L'étendue et les modalités de ce surcroît de puissance et d'influence dépendront de l'utilisation qu'ils feront de leurs bénéfices pour les investir dans le capital humain, la stabilisation financière et les infrastructures économiques. S'agissant de la Russie, un emploi judicieux de ce surplus de revenus dans l'économie, la réponse à la demande sociale et certains outils de politique étrangère feraient sans doute beaucoup pour améliorer son statut dans le monde.

Les gagnants et les perdants du monde de l'après-pétrole

D'après nous, en 2025, le scénario le plus probable sera celui d'une percée technologique qui offrira une alternative au pétrole et au gaz naturel. En revanche, sa mise en place prendra du temps, à cause des investissements d'infrastructures qu'elle réclamera. Toutefois, que cette percée se produise d'ici à 2025 ou plus tard, les implications géopolitiques du renoncement au pétrole et au gaz naturel seront considérables.

• L'Arabie Saoudite sera la plus durement frappée, car ses dirigeants auront à restreindre les frais de la maison royale. Quand Riyad cherchera à promouvoir une série de réformes économiques profondes, le régime pourrait connaître un regain de tension avec ses dignitaires wahhabites. Ce serait le cas d'une pleine participation des femmes à la vie économique et d'un nouveau contrat social visant à instaurer une éthique du travail pour accélérer certains programmes de développement et diversifier l'économie.

• En Iran, la chute des prix du pétrole et du gaz compromettra toute politique économique de type populiste. Les pressions vers la réforme économique se feront sentir et risqueront de pousser l'élite gouvernante cléricale à relâcher son emprise. Les incitations à s'ouvrir vers l'Ouest, démarche destinée à attirer les investissements étrangers, en créant ou renforçant des liens avec des partenaires occidentaux – États-Unis compris – se multiplieront. Les dirigeants iraniens seront alors plus disposés à troquer leur politique nucléaire contre des aides et des échanges commerciaux.

Pour l'Irak, le besoin d'investir dans les secteurs non pétroliers de son économie se fera plus pressant. Les autres États du Golfe, de plus petite taille, qui ont investi massivement pour se transformer en plaques tournantes du tourisme et des transports mondiaux, géreront probablement bien une transition adossée à de solides fonds souverains (SWF). Partout dans le monde arabe, ces fonds souverains se déploient pour favoriser le développement des secteurs non énergétiques de l'économie, dans une course de vitesse contre la dévaluation de la manne pétrolière.

À l'extérieur du Moyen-Orient, la Russie sera peut-être le plus grand perdant, notamment si son économie reste fortement dépendante de ses exportations énergétiques. Elle pourrait se voir reléguée au rang de puissance moyenne. Le Venezuela, la Bolivie et d'autres régimes pétro-populistes pourraient totalement s'effondrer, si cela ne s'est pas déjà produit en raison d'un mécontentement croissant et d'une production en déclin. Privé du soutien vénézuélien, Cuba pourrait se voir contraint d'adopter des réformes de marché similaires à celles de la Chine.

Les États ayant souffert tôt du déclin pétrolier – ces exportateurs qui ont atteint leur zénith et ont déjà amorcé leur déclin, comme aujourd'hui l'Indonésie et le Mexique – seront peut-être mieux préparés à réorienter leur activité économique et à se diversifier dans des secteurs non énergétiques.

Une *chute durable des cours du pétrole* aurait des conséquences de taille pour les pays qui comptent sur des rentrées pétrolières constantes pour équilibrer leur budget ou augmenter leurs investissements au plan intérieur. Pour l'Iran, une baisse du baril autour de 55-60 dollars ferait subir au régime de fortes pressions, en le confrontant à des choix douloureux entre la subvention de programmes économiques à caractère populiste et le maintien des financements de ses organes de renseignement et de sécurité, ou d'autres programmes visant à étendre son influence dans la région. L'idée que les économies dominées par l'État, apparemment capables de générer de la croissance sans accorder une pleine liberté à la vie politique et aux marchés, constitueraient une alternative crédible aux conceptions occidentales d'économie de marché et de démocratie sera durement mise à l'épreuve. En effet, l'Histoire démontre que les États-Unis et d'autres États européens s'adaptent mieux et plus vite à toute mutation imprévue des marchés de l'énergie.

Dans tous les cas de figure, la dynamique énergétique entraînerait un certain nombre de réalignements ou de regroupements significatifs en termes géopolitiques.

• La Russie, qui a besoin du gaz naturel de la région de la Caspienne pour satisfaire la demande européenne et exécuter certains autres contrats de fourniture, souhaitera fermement maintenir les pays d'Asie centrale dans la sphère d'influence de Moscou. Faute d'une autre issue non russe, elle a de bonnes chances d'y parvenir.

• La Chine cherchera encore et toujours à étoffer sa puissance marchande en cultivant des relations politiques visant à préserver son accès au pétrole et au gaz. Les liens de Pékin avec l'Arabie Saoudite se renforceront, le royaume saoudien étant le seul fournisseur capable d'étancher l'immense soif pétrolière de la Chine.

• Pékin cherchera à réduire sa nouvelle dépendance envers Riyad en renforçant ses liens avec d'autres producteurs. L'Iran y verra une occasion de consolider le soutien chinois à Téhéran, ce qui mettra probablement à l'épreuve les liens entre Pékin et Riyad. Téhéran pourrait aussi se rapprocher encore davantage de la Russie.

Avancées probables :

Quelle technologie ?	**Le traitement informatique généralisé** sera rendu possible par la banalisation de l'étiquetage et de la mise en réseau d'objets courants – l'Internet des objets – tels que les emballages alimentaires, les meubles, les détecteurs d'alarme ou les documents papier. Ces articles seront localisés et identifiés, surveillés et contrôlés à distance par le biais de quelques technologies – la radio-identification (RFID), les réseaux de détecteurs, de minuscules serveurs intégrés et des capteurs d'énergie – raccordés par l'Internet nouvelle génération au moyen d'une informatique omniprésente, à faible coût et à haute puissance de calcul.
Quels moteurs, quels obstacles ?	**Moteurs clés :** La demande d'efficacité, dans une vaste gamme d'applications allant de la sécurité alimentaire au rendement des chaînes et des logistiques d'approvisionnement. Les entreprises, les gouvernements et les individus en tireront parti dans des domaines tels que le rendement et la sécurité énergétiques, la qualité de la vie, et des dispositifs d'alertes avancées pour la maintenance du matériel. **Obstacles :** Leur mise en place dépendra des disponibilités en énergie pour de petits appareils ne requérant pas de maintenance, du développement de modèles industriels rentables et, probablement, du règlement d'importantes questions de confidentialité et de sécurité.
En quoi la technologie change-t-elle la donne ?	Ces technologies pourraient précipiter toute une série d'accroissements des rendements, poussant à l'intégration de sociétés fermées dans l'âge de l'information et à une surveillance sécuritaire de presque tous les lieux et sites. Tout au long des chaînes d'approvisionnement, des économies de coût et de rendement réduiront la dépendance vis-à-vis du travail humain.

Quelle technologie ?	**Les technologies de l'eau propre** désignent une gamme de technologies permettant un traitement plus rapide et énergétiquement plus rentable des eaux propres et usées et la désalinisation de l'eau saumâtre et de l'eau de mer. Elles offriront des sources d'approvisionnement en eau plus diversifiées et adaptées à l'usage domestique, agricole et industriel. Ces technologies reposent sur des avancées déjà existantes comme le bioréacteur à membranes, et toute une gamme de matériaux de substitution. Elles supposent aussi des progrès d'autres technologies de séparation et de purification, en application des propriétés chimiques et physiques uniques des nanoparticules et des nanofibres.
Quels moteurs, quels obstacles ?	**Moteurs clés :** L'eau propre est appelée à devenir la ressource naturelle la plus rare, mais aussi la plus indispensable à cause des nouvelles demandes nées de l'augmentation de la population et de la perspective de voir le changement climatique réduire les réserves naturelles d'eau potable dans certaines régions. Cette demande concernera l'eau à usage domestique, mais aussi agricole (nouvelles récoltes en biopharmacie et biocarburants comprises) et industriel. **Obstacles :** Il ne sera possible de répondre à une demande d'approvisionnement fiable en eau propre que si les systèmes à grande et petite échelle parviennent à surmonter les contraintes de coûts – tant en termes d'exigences énergétiques que de coûts d'infrastructure.
En quoi la technologie change-t-elle la donne ?	Si la terre regorge d'eau, seul 1 % de cette eau est potable ou disponible à la consommation humaine. Et ce sont environ 20 % de la population mondiale qui n'ont pas accès à l'eau potable. Les régions qui subissent la pénurie d'eau se multiplieront à mesure qu'augmentera la population mondiale et que surviendront des sécheresses liées au réchauffement de la planète. Ce phénomène affectera aussi bien les nations développées que les pays en voie de développement. Plusieurs secteurs seront en concurrence pour s'approvisionner en eau, notamment l'agriculture, les usines de traitement alimentaire, ainsi que les industries chimique, pharmaceutique et des semi-conducteurs. Les premiers pays capables de développer et de produire des technologies de l'eau propre bon marché et à haut rendement énergétique pourraient en tirer un immense avantage géopolitique.

Quelle technologie ?	**Le stockage de l'énergie** comprend toute une gamme de matériaux et de techniques. Il est indispensable à la viabilité de quantités de solutions alternatives à l'énergie extraite des combustibles fossiles. On y trouve des matériaux pour les batteries, des supercondensateurs et des instruments de stockage de l'hydrogène (notamment pour les piles à combustible). Le stockage efficace de l'énergie permettra la mise en place, pour de nombreux systèmes, d'une consommation énergétique à la demande, par exemple pour les dispositifs à l'hydrogène, et toute une série de sources d'énergies renouvelables mais intermittentes comme l'éolien et le solaire. On verra aussi apparaître des véhicules de transport à faible émission.
Quels moteurs, quels obstacles ?	**Moteurs clés :** Le prix élevé des énergies fossiles, la volonté de réduire la dépendance envers les sources d'énergie étrangères et la pression pour accroître les sources d'énergies renouvelables sont les moteurs du développement de ces technologies. **Obstacles :** Leur développement et leur mise en place sont freinés par la science des matériaux, l'incertitude totale sur les coûts de fabrication à grande échelle et les dépenses d'investissements d'infrastructures.
En quoi la technologie change-t-elle la donne ?	La possibilité de stocker l'énergie et de la puiser à la demande dans une combinaison de sources alternatives d'énergie offre un potentiel considérable pour l'abandon progressif des combustibles fossiles. Ces sources devraient apporter des avantages sociaux et économiques aux premiers qui sauront les commercialiser. Leur diffusion élargie risque de déstabiliser les économies de rente, dépendantes des combustibles fossiles.

Avancées possibles :

Quelle technologie ?	**La « biogérontotechnologie »** est la science relative à l'étude des bases moléculaires et cellulaires de la maladie et du vieillissement, appliquée au développement de nouveaux moyens technologiques d'identification et de traitement des maladies et infirmités liées à l'âge. Il faudra pouvoir compter sur les biodétecteurs pour l'observation en temps réel de la santé humaine, de bonnes techniques d'information, la banalisation du séquençage de l'ADN et de la médecine spécifique de l'ADN, ainsi que des systèmes de ciblage des médicaments.
Quels moteurs, quels obstacles ?	**Moteurs clés :** Des populations vieillissantes, l'augmentation constante des frais médicaux et la volonté de maintenir des travailleurs âgés en activité seront les moteurs du développement de ces technologies. **Obstacles :** Les coûts de développement, la durée des essais sur l'homme, les problèmes de confidentialité, de possibles complications sur le plan des assurances, ainsi que certaines préoccupations d'ordre social et religieux risquent d'en freiner le développement.
En quoi la technologie change-t-elle la donne ?	Leur déploiement transformerait le coût, l'allocation et l'utilisation des services de santé. Beaucoup de nations seront confrontées aux difficultés liées à la modification de leur pyramide démographique et à l'apparition de modèles psychologiques, de comportements et de schémas d'activité inédits chez des citoyens vieillissants, mais en bonne santé. Simultanément, elles devront aussi formuler de nouvelles politiques économiques et sociales.

Quelle technologie ?	**Les technologies du charbon propre** comprennent diverses combinaisons de captage et stockage du dioxyde de carbone (CSC) pour empêcher le CO_2 – sous-produit de la combustion de charbon – de pénétrer dans l'atmosphère, la conversion du charbon en gaz de synthèse (gazéification), et des processus de conversion du gaz de synthèse en hydrocarbures. Le CSC est susceptible de réduire voire d'éliminer toutes les émissions de gaz à effet de serre d'une centrale au charbon. La gazéification améliore le rendement de la production d'énergie et émet moins de polluants qu'une centrale thermique au charbon. Le gaz de synthèse peut aussi constituer une source pour les combustibles des moyens de transport et les produits chimiques industriels qui remplacent les produits dérivés du pétrole.
Quels moteurs, quels obstacles ?	**Moteurs clés :** La volonté de réduire la dépendance envers les sources d'énergie étrangères poussera à un usage accru des réserves de charbon disponibles. Mais la production d'énergie propre requiert le développement des techniques du CSC. **Obstacles :** Le développement des CSC et l'installation de centrales à charbon soulèvent de sérieux obstacles technologiques et financiers. Et les incertitudes qui planent autant sur le marché du pétrole que sur le cadre réglementaire lié à l'environnement interdisent tout investissement dans de coûteuses usines de gazéification du charbon (même sans CSC).
En quoi la technologie change-t-elle la donne ?	Un développement accéléré de la technologie du charbon propre posera un sérieux défi au marché des hydrocarbures (surtout celui du pétrole) et à celui, encore naissant, des énergies renouvelables. Ce développement modifierait l'état de dépendance des pays riches en charbon et pauvres en pétrole à l'égard du pétrole et du gaz d'importation, entraînant une profonde redistribution des cartes au plan des intérêts nationaux.

Quelle technologie ?	**Les technologies d'accroissement de la force humaine** désignent des systèmes électroniques et mécaniques qui viennent accroître les capacités physiques de l'homme. Ce sont des exosquelettes qu'on peut revêtir d'actionneurs mécaniques aux hanches, aux coudes et à d'autres articulations. Poussé à l'extrême, l'exosquelette pourrait ressembler à un humanoïde portable utilisant des détecteurs, des interfaces, des systèmes d'énergie et des actionneurs pour surveiller et réagir aux mouvements des bras et des jambes, apportant à celui qui les porte davantage de force et de maîtrise.
Quels moteurs, quels obstacles ?	**Moteurs clés :** Des besoins de force et d'endurance supérieurs, de sécurité physique dans l'assistance aux handicapés et aux personnes âgées, et la diminution du rôle du travail manuel sont les moteurs de ces technologies. **Obstacles :** Le coût de fabrication et la rentabilité incertaine, les difficultés liées aux sources d'énergie portables, et l'aptitude humaine à adopter une technologie et à l'employer sont autant de restrictions au développement et à la mise en place de ces technologies.
En quoi la technologie change-t-elle la donne ?	Les appareils biomécaniques donneraient à l'individu une force et une endurance surhumaines ou restaureraient les capacités des personnes handicapées. L'usage répandu de cette technologie permettrait d'améliorer sensiblement la productivité en réduisant le nombre d'êtres humains nécessaires à l'accomplissement d'une tâche donnée ou en augmentant la charge de travail qu'un seul individu peut accomplir. Elle permettrait enfin aux handicapés ou aux personnes âgées d'être actifs sans assistance. Ces technologies accroîtraient aussi beaucoup l'efficacité au combat des troupes terrestres.

Quelle technologie ?	**La technologie des biocarburants** sert à produire de l'éthanol à partir de cultures telles que le maïs et la canne à sucre, et du biodiesel à partir de cultures telles que le pépin de raisin et le soja. La prochaine génération de ce processus permettra de convertir en carburants les matières lignocellulosiques. Une piste intéressante consiste à cultiver des microalgues à croissance rapide pour les convertir en biodiesel et autres biocarburants.
Quels moteurs, quels obstacles ?	**Moteurs clés :** Les prix élevés du pétrole brut, la volonté de réduire la dépendance envers les approvisionnements pétroliers extérieurs et des politiques gouvernementales visant à accroître les sources d'énergies renouvelables sont autant de moteurs de ces technologies. **Obstacles :** Le développement et la diffusion de ces technologies seront limités par l'exploitation du sol, la disponibilité de l'eau, la concurrence des applications alimentaires et le défi que constituera le passage au stade de la production à grande échelle. Les biocarburants déjà en cours de développement sont plus viables, mais les coûts de production demeurent trop élevés.
En quoi la technologie change-t-elle la donne ?	Un passage massif aux biocarburants à plus haut rendement risque de faire baisser la demande pétrolière et d'assouplir la concurrence autour de l'approvisionnement et des réserves mondiales de pétrole. En outre, l'usage généralisé des biocarburants modifierait radicalement l'état de dépendance énergétique de certains pays envers les combustibles fossiles importés, modifiant sensiblement la donne au plan des intérêts nationaux. Les technologies émergentes en matière de biocarburants permettent aussi d'éviter les changements trop importants dans l'occupation des sols – grâce au recours à des matières premières telles que les déchets agricoles, les herbes sèches d'origine locale, les biocarburants tirés des algues – et de sensiblement réduire les émissions nettes de CO_2 dans l'atmosphère.

Avancées plausibles :

Quelle technologie ?	**La robotique des services** comprend les robots et les véhicules sans chauffeur pour des applications autres que la fabrication. Elle reposera sur un grand nombre de technologies matérielles (détecteurs, actionneurs, systèmes d'énergie) et logicielles (les systèmes avancés incorporeront peut-être des algorithmes comportementaux et de l'intelligence artificielle). Ces technologies ouvriraient la voie à une vaste gamme de systèmes robotiques télécommandés, semi-autonomes (avec intervention humaine) ou autonomes.
Quels moteurs, quels obstacles ?	**Moteurs clés :** Applications de sécurité, de santé ou de soins à domicile pour les personnes âgées, amélioration de la productivité de la fabrication et réduction de la demande d'emplois de service. **Obstacles :** La nécessité de modèles de commercialisation, la viabilité des coûts, l'incertitude des avancées technologiques (sources d'énergie portables et surtout intelligence artificielle) et diverses questions d'intégration (concernant par exemple les technologies de l'information, les normes robotiques) freineront la propagation de ces robots de service.
En quoi la technologie change-t-elle la donne ?	Au plan intérieur, l'usage répandu de ces technologies pourrait avoir des répercussions sur la main-d'œuvre, perturber le marché des emplois non qualifiés et les schémas d'immigration. S'ils les adoptent rapidement, les gouvernements pourraient mieux assurer la sécurité de ces dispositifs et prévoir une réduction de main-d'œuvre et des coûts de cycle de vie du système.

Quelle technologie ?	**Les technologies de développement des facultés cognitives** désignent des médicaments, des implants, des milieux d'apprentissage virtuel et des appareils portables permettant d'améliorer les facultés cognitives de l'homme. Ce programme de formation tire parti de la « plasticité » du cerveau pour améliorer les facultés de l'individu, et les appareils portables ou implantables promettent d'améliorer la vision, l'ouïe et même la mémoire. Les biotechnologies et les technologies de l'information amélioreront les performances mentales à tout âge de la vie.
Quels moteurs, quels obstacles ?	**Moteurs clés :** Les progrès de la planification militaire, des performances des combattants, le traitement de la maladie d'Alzheimer, l'efficacité de l'éducation, les loisirs individuels et le rendement au travail pourraient déclencher le développement de ces technologies. **Obstacles :** La réticence culturelle à s'engager dans une voie « non naturelle » du développement humain et la crainte d'effets inconnus risquent d'en freiner le développement et la propagation. Il reste en outre à surmonter d'importantes difficultés médicales et des freins liés à la recherche.
En quoi la technologie change-t-elle la donne ?	Une mise en place inégale de ces technologies bouleverserait rapidement les rapports de force économiques et militaires entre pays. Les premiers à résolument les adopter pourraient en tirer des bénéfices considérables, tandis que les nations hésitantes se trouveraient en position de faiblesse. Les pressions internationales visant à fournir un cadre réglementaire à ces technologies occasionneraient le même genre de perturbations, certaines cultures risquant de faire bon accueil au changement pour en tirer les bénéfices au plus vite, d'autres se plaignant de leur caractère « inhumain[1] ».

1. Ces avancées sont classées selon l'état initial de développement et de diffusion de la technologie. Dans certains cas, cette diffusion peut connaître un retard significatif lié à des exigences d'infrastructure.

Source *:* SRI Consulting Business Intelligence et Toffler Associates.

• Nous croyons que l'Inde se battra avec opiniâtreté pour garantir ses approvisionnements énergétiques en s'ouvrant vers la Birmanie, l'Iran et l'Asie centrale. Les oléoducs indiens traversant des régions troublées, New Delhi pourrait se trouver confronté à ces foyers locaux d'instabilité.

Eau, nourriture et changement climatique

D'après les experts, 21 pays dont la population totale s'élève à 600 millions d'habitants connaissent aujourd'hui une pénurie d'eau potable ou de terre cultivable. En raison d'une croissance démographique continue, on s'attend qu'en 2025, ces pays soient au nombre de 36, pour une population totale de 1,4 milliard d'habitants. Citons, parmi les nouveaux entrants, le Burundi, la Colombie, l'Éthiopie, l'Érythrée, le Malawi, le Pakistan et la Syrie. L'absence d'accès à un approvisionnement stable en **eau** atteint des proportions inédites dans nombre de régions du monde (voir la carte p. 192), et risque de s'aggraver à cause de l'urbanisation galopante et de la croissance démographique. La demande d'eau à usage agricole et pour les centrales hydroélectriques augmentera aussi. La consommation d'eau d'irrigation dépasse de beaucoup celle des foyers domestiques. Dans les pays en développement, l'agriculture consomme aujourd'hui plus de 70 % de l'eau mondiale. La construction de centrales hydroélectriques sur d'importants cours d'eau pourrait améliorer le contrôle des crues, mais elle pourrait aussi déstabiliser les populations situées en aval, qui auraient préféré conserver leur accès à cette eau.

Prévisions de pénuries d'eau dans le monde en 2025

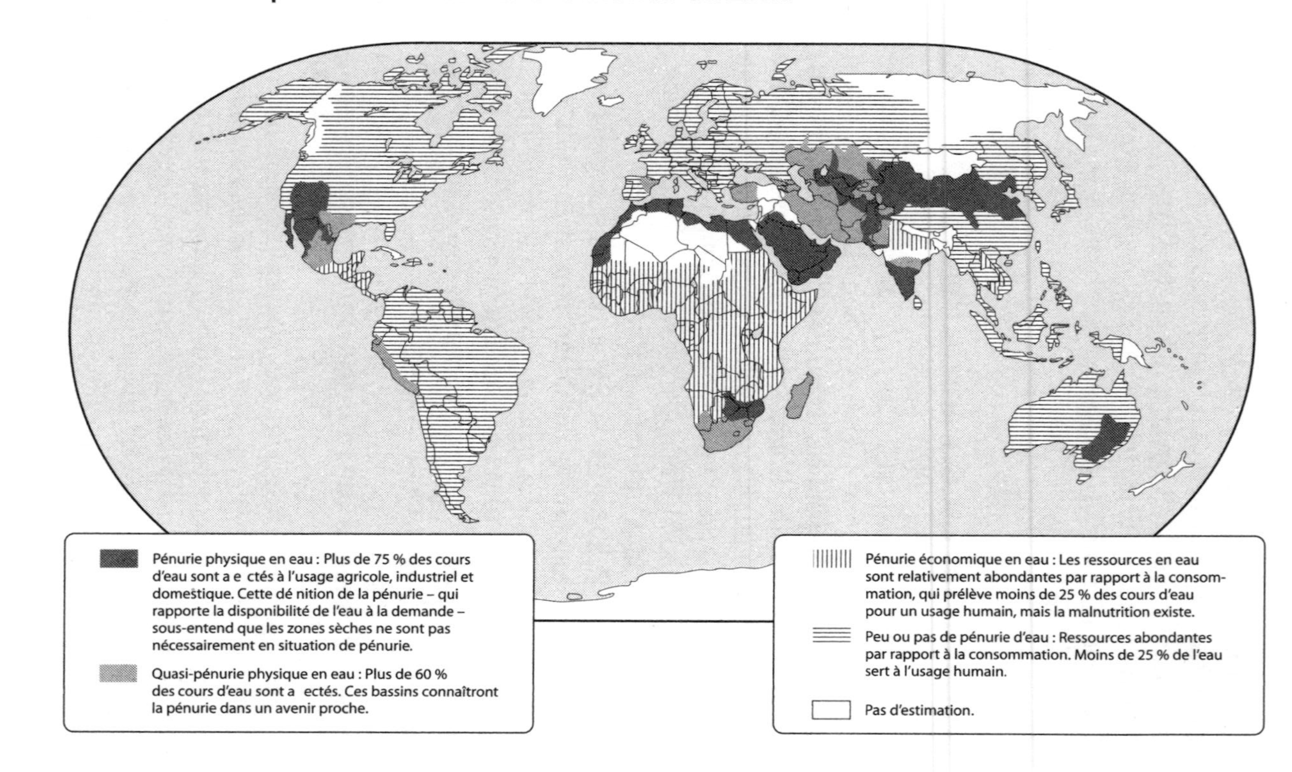

Consommation par habitant, 1995 et 2025

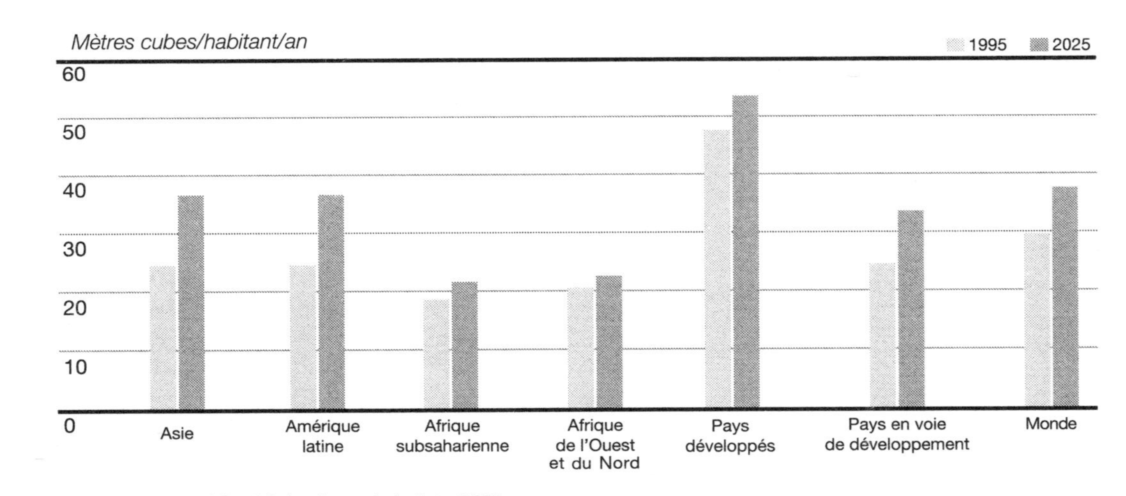

Source : International Food Policy Research Institute (IFPRI).

« ***D'après les experts, 21 pays dont la population totale s'élève à 600 millions d'habitants connaissent aujourd'hui une pénurie d'eau potable ou de terre cultivable. En raison d'une croissance démographique continue, on s'attend qu'en 2025, ces pays soient au nombre de 36, pour une population totale de 1,4 milliard d'habitants.*** »

La Banque mondiale estime que la demande alimentaire aura augmenté de 50 % en 2030, sous l'effet de la croissance démographique mondiale, d'une augmentation des richesses et de l'adoption par une vaste classe moyenne du régime alimentaire occidental. Le secteur alimentaire mondial s'est montré fortement réactif aux fluctuations du marché, mais la production agricole continuera probablement de subir l'entrave de politiques peu judicieuses qui limitent les investissements et faussent certains indicateurs de prix déterminants. Dans le passé, le maintien des prix alimentaires bas pour soulager les couches de populations pauvres des zones urbaines et la stimulation de l'épargne destinée à l'investissement industriel ont déjà faussé les prix agricoles. Si les élites politiques se soucient davantage de l'instabilité urbaine que du revenu rural – un calcul rationnel dans de nombreux pays –, ces politiques risquent de perdurer, accroissant le risque d'approvisionnements insuffisants. La tendance démographique à l'urbanisation – notamment dans les pays en voie de développement – accentue la probabilité de voir se perpétuer des politiques qui ont échoué.

D'ici à 2025, le monde sera confronté à des problématiques contradictoires et conflictuelles entre la sécurité énergétique et la sécurité alimentaire, avec un

Deux gagnants du changement climatique

La **Russie** détient tous les atouts pour être le grand gagnant d'un passage à un climat plus tempéré. Moscou possède de vastes réserves inexploitées de gaz et de pétrole en Sibérie, ainsi qu'en mer, dans l'Arctique, et le réchauffement des températures devrait considérablement en faciliter l'accès. Ce serait pour l'économie russe une aubaine, puisque 80 % des exportations du pays et 32 % des recettes du gouvernement proviennent aujourd'hui de la production énergétique et de matières premières. En outre, l'ouverture d'une route maritime dans l'Arctique serait porteuse d'avantages économiques et commerciaux. Toutefois, la fonte de la toundra pourrait endommager ses infrastructures. Enfin, ce grand pays devra miser sur de nouvelles technologies pour développer les énergies fossiles dans la région.

Le **Canada** sera épargné par certains phénomènes climatiques graves propres à l'Amérique du Nord – les gros ouragans et les vagues de chaleur écrasantes –, et le changement climatique pourrait lui ouvrir des millions de kilomètres carrés au développement. L'accès à la baie d'Hudson, riche en ressources, sera plus simple. En outre, sa position de force sur le cercle polaire, qui entoure une vaste portion de l'Arctique en voie de réchauffement, pourrait constituer un avantage géopolitique et économique. Les saisons de culture s'allongeront, la demande nette d'énergie pour le chauffage et la climatisation devrait baisser, et la forêt gagnera sensiblement sur la toundra. Cependant, tout le territoire canadien ne profitera pas des changements induits par l'allongement des saisons de culture, et certains produits forestiers subissent déjà des dommages liés à la prolifération de nuisibles qu'engendre le réchauffement du climat.

enchevêtrement de conséquences difficilement gérable. Parmi les grands exportateurs céréaliers (États-Unis, Canada, Argentine et Australie), la demande en biocarburants – appuyée par des subventions gouvernementales – réclamera de plus grandes surfaces de culture et de plus gros volumes d'eau d'irrigation, même quand la production de biocarburants et les technologies de traitement auront gagné en efficacité. Ce compromis de l'« agriculture du combustible », allant de pair avec des contrôles périodiques à l'exportation chez les producteurs asiatiques et une demande croissante en protéines de la part de classes moyennes mondiales sans cesse plus nombreuses, amènera les cours céréaliers mondiaux à fluctuer au-dessus de leurs pics actuels. Les marchés internationaux des céréales se stabilisant sur des volumes plus bas, certains économistes estiment que la spéculation – encouragée par la perspective d'une augmentation du prix des carburants et des modèles météorologiques rendus plus imprévisibles par le changement climatique – pourrait peser davantage sur les prix alimentaires.

Un consortium de gros producteurs agricoles – comprenant l'Inde et la Chine, avec leurs partenaires américains et européens – œuvrera probablement au lancement d'une seconde révolution verte, cette fois en Afrique subsaharienne, susceptible de concourir à amortir l'instabilité des prix sur les marchés céréaliers dans le monde. D'ici à 2025, l'augmentation des revenus céréaliers de l'Afrique sera sans doute substantielle, mais elle sera surtout réservée aux États des régions australe et orientale du continent, qui auront approfondi leurs relations commerciales et étoffé leurs accords de sécurité avec certains États d'Asie de l'Est et du Sud. Ailleurs, au sud du Sahara, les guerres civiles et la priorité politique et économique en faveur de l'extraction minière et pétrolière risquent de contrecarrer la plupart des tentatives du consortium pour moderniser les réseaux d'irrigation et de transport rural et pour élargir l'accès au crédit et à l'investissement. De ce fait, la croissance démographique dépasserait les gains de productivité agricole.

Confirmant les pénuries d'eau et de terres cultivables d'ores et déjà prévisibles, le rapport Stern, commandé par le ministère des Finances britannique, estime qu'au milieu du siècle le monde pourrait compter 200 millions de personnes déplacées. Ce seront les « migrants du climat » – dix fois la population actuelle totale des réfugiés et des personnes déplacées à l'intérieur de leur propre pays. Si de nombreux experts jugent ce chiffre élevé, chacun s'accorde à reconnaître les risques de migrations à grande échelle et la nécessité de mieux s'y préparer. La plupart des personnes déplacées se réinstallent dans leur pays d'origine, mais nombre d'entre elles risquent de constater à l'avenir que leur pays est de moins en moins en mesure de les accueillir. Le nombre de migrants cherchant à quitter des terres défavorisées pour d'autres relativement privilégiées a des chances de s'accroître. Les principales voies d'entrée ressembleront à certaines routes migratoires actuelles – de l'Afrique du Nord et d'Asie occidentale vers l'Europe, d'Amérique latine vers les États-Unis, et du Sud-est asiatique vers l'Australie.

Au cours des vingt prochaines années, les inquiétudes suscitées par le changement climatique pèseront peut-être plus que les transformations tangibles que

Implications stratégiques de l'ouverture de l'Arctique

Les estimations concernant la date à laquelle l'Arctique sera libre de glaces l'été varient. Le National Snow and Ice Data Center évoque un Arctique saisonnièrement privé de glaces en 2060. D'après des recherches plus récentes, cela pourrait survenir dès 2013. Les deux principales implications d'une ouverture de l'Arctique sont l'accès facilité à des ressources énergétiques et minérales probablement considérables et l'ouverture de voies maritimes plus courtes.

Le transit par la route maritime du Nord, au-dessus de la Russie, entre le nord de l'Atlantique et le nord du Pacifique, permettrait de gagner quelque 5 000 milles nautiques et une semaine de navigation par rapport au franchissement du canal de Suez. Le trajet entre l'Europe et l'Asie par le passage canadien du nord-ouest retranche quelque 4 000 milles nautiques par rapport à la route qui emprunte le canal de Panamá.

Il est peu probable que ces bénéfices relatifs aux ressources et à la navigation se matérialisent d'ici à 2025. L'US National Petroleum Council a rappelé que certaines technologies nécessaires à l'exploitation du pétrole au cœur des régions arctiques pourraient ne pas être disponibles avant 2050. Toutefois, l'espérance de ces richesses et avantages potentiels se fait déjà sentir aux États-Unis, au Canada, en Russie, au Danemark et en Norvège – comme l'a montré l'émergence de revendications territoriales entre la Russie et la Norvège, par exemple, ou le Canada et le Danemark.

Si l'escalade des tensions à l'approche de l'échéance risque de provoquer des confrontations de petite échelle autour des territoires en contestation, l'Arctique ne devrait pas déclencher de conflit armé majeur. Les États du cercle polaire possédant d'autres ports sur d'autres eaux, l'Arctique ne pose aucun danger de blocus vital. En outre, ces États trouveront un intérêt commun à réglementer l'accès à l'océan Arctique de puissances hostiles, d'États jugés menaçants ou d'acteurs non étatiques jugés dangereux. Ils verront aussi un avantage collectif à s'assurer le concours d'entreprises de haute technologie pour exploiter les ressources de l'Arctique.

Pour les deux prochaines décennies, cela aura peut-être pour principale conséquence stratégique de permettre à des États marchands relativement riches et grands, mais dépourvus de ressources, comme la Chine, le Japon ou la Corée, de profiter de l'accroissement des ressources énergétiques induit par l'ouverture de l'Arctique et le raccourcissement des voies d'expédition maritime.

celui-ci pourrait provoquer. Comprenant qu'un changement rapide de l'environnement est en cours, certaines nations seront tentées de prendre des initiatives unilatérales pour garantir leurs ressources, leurs territoires et d'autres intérêts. La volonté de s'engager dans une plus vaste coopération multilatérale dépendra d'un certain nombre de facteurs, tels que le comportement des autres pays, la conjoncture économique ou l'importance des intérêts à défendre ou à conquérir.

De nombreux scientifiques craignent que les dernières évaluations aient sous-estimé l'impact du changement climatique et mal évalué l'échéance probable à laquelle il se fera sentir. La communauté scientifique ne dispose aujourd'hui que d'une aptitude limitée à prédire la probabilité ou l'ampleur des grands bouleversements climatiques. Cependant, les spécialistes du climat ne croient pas – sur la foi de précédents historiques – que cette évolution se produira de façon progressive et en douceur. De sévères restrictions des autorisations d'émissions de CO_2 désavantageraient probablement les économies émergentes en croissance rapide qui se situent encore assez bas sur la courbe du rendement énergétique. En revanche, les gros consommateurs du monde développé – comme les États-Unis – ne seraient pas épargnés, et l'économie mondiale pourrait alors entrer en récession, ou dans une spirale plus périlleuse encore.

Afrique subsaharienne : des relations avec le monde renforcées et perturbées

En 2025, l'Afrique subsaharienne demeurera la région la plus vulnérable du monde en termes de défis économiques, de pressions démographiques, de guerres civiles et d'instabilité politique. La faiblesse des États et les relations troublées entre ceux-ci et leurs sociétés civiles freineront probablement toute amélioration majeure des perspectives de la région d'ici à vingt ans – à moins d'un engagement international soutenu, ponctué d'interventions directes. L'Afrique australe conservera son statut de sous-région la plus stable et la plus prometteuse sur les plans politique et économique.

L'Afrique subsaharienne restera un important fournisseur de pétrole, de gaz et de métaux sur les marchés mondiaux et elle attirera de plus en plus l'attention des États asiatiques cherchant un accès aux matières premières, telles la Chine et l'Inde. Toutefois, malgré une demande mondiale plus forte en matières premières, l'accroissement des revenus pourrait ne pas profiter au plus grand nombre ou ne lui apporter aucune amélioration économique significative. Des politiques économiques médiocres – bridées par des intérêts patrimoniaux et une réforme économique inachevée – exacerberont probablement les fractures ethniques et religieuses ainsi que la criminalité et la corruption dans de nombreux pays. Les élites au pouvoir continueront sans doute d'accaparer une part encore plus importante des revenus et des richesses, tandis que la pauvreté persistera ou s'aggravera dans les zones rurales et des agglomérations urbaines tentaculaires. Le fossé entre l'élite et le reste de la population risque de s'élargir, aggravant les causes d'extrémismes politiques et religieux, sources de divisions.

On s'attend qu'en 2025, la population dépasse le milliard d'habitants, malgré les effets du virus du sida. Plus de la moitié de la population aura moins de 24 ans, et beaucoup d'individus chercheront de nouvelles opportunités économiques ou la sécurité physique à travers l'émigration – que ce soit à cause d'un conflit, du changement climatique ou du chômage généralisé. Les premiers effets planétaires du changement climatique, pénuries d'eau comprises, commenceront à se faire sentir en Afrique subsaharienne vers 2025.

Aujourd'hui, près de la moitié des pays d'Afrique subsaharienne (23 sur 48) est classée dans la catégorie des démocraties, et la majorité des États africains est engagée sur la voie d'une démocratisation. Toutefois, les États les plus peuplés de la région et ceux connaissant la plus forte croissance démographique pourraient connaître des retours en arrière.

Si l'Afrique assume déjà une part croissante de ses responsabilités en matière de maintien de la paix, la région reste vulnérable aux guerres civiles et à des formes complexes de conflits interétatiques – avec des forces militaires fragmentées selon des critères ethniques ou autres, un contrôle limité des zones frontalières et des groupes d'insurgés ou de criminels prenant pour cible des civils désarmés dans des pays voisins. L'Afrique centrale en présente le cas le plus troublant, qui concerne la République du Congo, la République démocratique du Congo, la République de Centrafrique et le Tchad.

Contrairement à ce qu'on observe dans d'autres régions du monde, l'attitude des Africains à l'égard des États-Unis restera positive, même si de nombreux gouvernements africains demeureront critiques envers la politique américaine, dans des dossiers tels que le Moyen-Orient, Cuba et le commerce mondial. L'Afrique continuera de faire pression pour une réforme de l'ONU et l'obtention d'une représentation permanente au Conseil de sécurité de l'organisation.

SCÉNARIO PLANÉTAIRE II :
LA SURPRISE D'OCTOBRE[1]

Dans ce récit fictif, l'insouciance planétaire vis-à-vis du changement climatique entraîne d'importants imprévus, plaçant le monde en situation de vulnérabilité accrue. Les scientifiques s'interrogent aujourd'hui sur le possible dépassement d'un seuil critique au-delà duquel le changement climatique s'accélérerait, nous privant de toute capacité d'intervention – réduction des émissions comprise – et nous interdisant donc d'en atténuer les effets, même à long terme. Pour la plupart des scientifiques, quand nous saurons de façon certaine si nous avons atteint ce seuil, il sera trop tard. Selon eux, l'incertitude qui règne autour du rythme, des vulnérabilités et des impacts spécifiques du changement climatique risque de se prolonger encore quinze ou vingt ans, même si notre connaissance du changement climatique s'approfondit.

Un événement climatique extrême – tel que le décrit ce scénario – pourrait se produire. La fréquence accrue de ce genre d'événements, et d'autres effets

1. « La surprise d'octobre » signifie dans le jargon politique américain un événement inattendu capable d'influencer les élections de novembre. *(N.d.T)*

physiques du changement climatique comme la multiplication des pénuries d'eau et des crises alimentaires, risquent de préoccuper les décideurs, d'autant que la palette des choix face à ces problèmes s'amenuise. Dans ce scénario, on envisage de déplacer la Bourse de New York vers un site moins exposé, mais il faudrait aussi envisager de déplacer d'autres institutions, pour assurer la continuité de leur fonctionnement. Ce scénario traite d'un événement survenant aux États-Unis, mais d'autres gouvernements ont été pris de court par différents types de catastrophes écologiques et ont souffert d'un recul. D'après ce récit, les efforts d'atténuation – comme de nouvelles restrictions sur les émissions de carbone – n'ont que peu de chances de produire un réel effet, au moins à court terme. Un tel monde impliquant de profonds bouleversements pourrait autant menacer les pays développés que ceux en voie de développement.

Parmi les conditions préalables à ce scénario :

• *Les nations adoptent une mentalité de type « la croissance avant tout », qui conduit au mépris généralisé de l'environnement et à sa dégradation.*

• *Les gouvernements, notamment ceux qui manquent de transparence, perdent leur légitimité au moment de se confronter à des catastrophes écologiques ou autres.*

• *Malgré d'importants progrès technologiques, on ne trouve aucune solution miracle enrayant les effets du changement climatique.*

• *Les solutions nationales aux problèmes d'environnement sont réservées au court terme et inadaptées.*

Journal présidentiel

Entrée du 1er octobre 2020

Cette idée de « la surprise d'octobre » me revient sans cesse à l'esprit. J'admets que nous l'avons bien cherché, mais le choc a été rude. Certaines scènes m'ont rappelé les actualités de la Seconde Guerre mondiale, mais cette fois cela ne se passait pas en Europe, mais à Manhattan. Ces images de transports aériens et de navires américains évacuant les gens par milliers à la veille de l'inondation hantent encore mon esprit… Pourquoi fallait-il que la saison des ouragans coïncide avec l'Assemblée générale de l'ONU à New York ? Tout cela est déjà assez pénible en soi, mais le plus gênant, c'était que la moitié des dirigeants de la planète ait été présente à cette occasion – pour assurer leur sécurité, il a fallu en évacuer certains par des moyens spéciaux, et une bonne moitié par la voie des airs.

À mon sens, notre erreur fut d'avoir misé sur le fait que cela ne se produirait pas, ou pas tout de suite. La plupart des scientifiques pensaient que les effets les plus dramatiques du changement climatique ne se feraient sentir que plus tard dans le siècle. Il n'empêche, bon nombre d'entre eux nous avaient avertis du danger d'un événement climatique majeur avant cette échéance et, pour peu que les circonstances s'y prêtent, l'un de nos grands centres urbains risquait une dévastation totale. Pour autant que je m'en souvienne, après notre dernière réunion d'information sur le changement climatique, mes conseillers étaient presque tous d'avis que les risques demeuraient faibles. Mais face à des événements météorologiques extrêmes, on nous avait avertis de la nécessité de décentraliser notre production électrique et de renforcer la solidité de nos infrastructures. Tragiquement, nous n'avons pas su entendre ces avis.

Nous survivrons, mais Wall Street a vraiment reçu un choc, et je ne crois pas que nous remettrons la Bourse de New York sur ses rails aussi vite qu'après le 11 Septembre. Déjà, la question se pose de savoir si la Bourse restera celle de New York. Peut-être faudra-t-il l'appeler « Bourse du Garden State (le New Jersey) » – un camouflet pour la fierté new-yorkaise, à n'en pas douter !

Tout cela ne nous est pas tombé dessus à l'improviste. À dire vrai, le problème réside dans notre attitude à l'égard de la mondialisation. Quand je dis « nous », je parle en réalité de l'élite ou de la petite poignée de dirigeants les plus influents de la planète. Tous, nous avons surtout cherché à pousser ou à préserver la croissance économique. À cet égard, nous avons aussi de quoi être fiers. Nous avons évité de céder à la tentation protectionniste et réussi à relancer les négociations sur le commerce. Mais nous ne nous sommes pas suffisamment préparés au coût de cette croissance pour l'environnement. La catastrophe de New York n'était peut-être pas évitable – quelles que soient les mesures que nous aurions prises il y a vingt ans –, mais en ignorant ces signaux, quel avenir préparons-nous aux générations futures ? Nous pensions tous que la technologie viendrait à notre secours, mais jusqu'ici, nous n'avons pas trouvé de solution miracle et les émissions de carbone continuent d'augmenter.

Ce que nous n'avons pas compris, c'est que l'opinion publique de plusieurs pays semble avoir devancé ses dirigeants dans la prise de conscience d'une telle urgence. En tout cas, elles percevaient mieux qu'eux la nécessité d'accepter des compromis. Ils ont rapidement opté pour les énergies renouvelables, les technologies de l'eau propre et des connexions Internet optimisées pour éviter les concentrations de population trop exposées aux événements climatiques extrêmes. Les Européens, bien entendu, avaient pris de l'avance en matière de rendement énergétique, mais ils ont été disposés à sacrifier la croissance économique et, sans elle, ils n'ont pu créer des emplois hautement qualifiés.

En Chine, c'est le contraire qui s'est produit – les excès du capitalisme des copains et des coquins. Il n'est pas dit, par exemple, que le Parti communiste chinois (PCC) survive au scandale consécutif à la rupture des barrages et à la dévastation qui a suivi. Il y a encore vingt ans, j'aurais cru sa survie possible. À l'époque, la population lui était tellement reconnaissante des bienfaits de l'immense effort de modernisation qu'elle a quasiment tout pardonné à ses dirigeants. Tel n'est plus le cas. Les classes moyennes exigent d'avoir une eau et un air purs. Elles n'apprécient pas le saccage écologique, prix d'une modernisation rapide, ou la corruption d'une administration qui a fermé les yeux sur les coupures survenues dans les centrales thermiques au charbon équipées de dispositifs de capture de carbone fournis par les États-Unis. Le Parti est lui-même divisé. Une moitié s'inquiète du ralentissement économique qui va de pair avec à une croissance plus prudente et respectueuse de l'environnement, et qui pourrait avoir de lourdes conséquences politiques en cas de baisse des créations d'emplois. L'autre moitié perçoit le poids des difficultés et comprend mieux les priorités de classes moyennes en mutation. Je ne serais pas surpris de voir que les cent mille victimes de la récente rupture du barrage soient à l'origine de la perte de légitimité du PCC, surtout dans la foulée des accusations de corruption qui ont été portées contre de grands dignitaires du parti.

Les pays pauvres sont ceux qui ont le plus souffert de notre gestion trop laxiste de la mondialisation. Je n'oublie pas que nous avions évoqué ces inégalités et considéré qu'il fallait faire quelque chose pour les atténuer. Mais nous avons jugé préférable d'en laisser la responsabilité à la Fondation de Bill Gates, à des ONG ou à d'autres acteurs. Évidemment, tout le monde doit s'impliquer. Mais les ONG sont incapables de monter des opérations de maintien de la paix et dès lors les États doivent, à un certain moment, assumer leurs responsabilités. Sans intervention extérieure vigoureuse, la plupart de ces pays n'avaient pas l'ombre d'une chance. Le fait que nous ayons disposé d'une technologie de l'eau propre, mais que nous n'ayons pas su la distribuer à ceux qui en avaient le plus grand besoin, n'a pu qu'aggraver les effets déjà négatifs du changement climatique.

Le climat a changé à un tel rythme que nous avons été confrontés à de nouveaux problèmes – pas forcément insurmontables – de maintien d'une production agricole suffisante. Plus difficile que l'accroissement des revenus agricoles globaux, le changement de modèle climatique signifie que certaines régions ne sont plus autosuffisantes. Les gens migrent vers les villes, mais leurs infrastructures sont inadaptées à de telles explosions démographiques. Cette situation génère des conflits sociaux. Ceux-ci à leur tour freinent toute évolution vers une meilleure gouvernance, seule solution pour sortir de ce cercle vicieux. Une vingtaine de pays sont dans ce cas.

Le problème, c'est qu'il ne s'agit pas toujours de petits pays, géopolitiquement insignifiants. Nous, monde développé, comptons sur certains – comme le Nigeria – pour leurs matières premières. Mais la désertification ne cessant de gagner du terrain au nord, le conflit religieux entre musulmans et chrétiens monte d'un cran. Une nouvelle guerre civile qui rappellerait celle du Biafra – mais cette fois-ci le long d'une ligne de fracture Nord-Sud – n'est pas à exclure.

On parle abondamment de tout cela aux sommets du G14, et de fait nous avons entrepris d'élaborer des scénarios communs. Mais face à l'orage qui menace, toute intervention est encore hors de notre portée. Une dernière réflexion avant d'aller accueillir les dignitaires qu'on embarque dans un avion qui les conduira à la réception de l'Assemblée générale de l'ONU : les estimations de croissance sont vraiment mauvaises. L'accumulation des catastrophes, les opérations de déblayage indispensables, la fonte du pergélisol, la baisse des performances agricoles, les problèmes croissants de santé et tout ce qui va de pair sont en train de nous coûter terriblement cher, bien plus que ce que nous avions prévu il y a vingt ans.

5

DES RISQUES DE CONFLITS EN HAUSSE

Nous estimons aujourd'hui qu'au cours des quinze à vingt prochaines années, les risques de conflits – intérieurs ou entre États – seront plus importants que nous ne le supposions dans ***Comment sera le monde en 2020 ?***, en particulier au Moyen-Orient. Si une grande partie de cette région va devenir moins instable, et comparable à d'autres parties du monde, comme par exemple l'est de l'Asie où les objectifs économiques prédominent, d'autres territoires restent encore des foyers d'embrasement potentiels. La combinaison d'économies de plus en plus ouvertes et de régimes politiques autoritaires crée les conditions pour qu'éclatent des insurrections, des guerres civiles et des conflits entre États. En 2025, l'Iran aura confirmé ou abandonné ses ambitions nucléaires, et la région, si elle n'est pas entraînée dans une course aux armements, aura trouvé un autre moyen d'assurer sa sécurité. Bien que, selon nous, l'attrait que représente Al-Qaida et d'autres groupes terroristes internationaux soit voué à diminuer, des poches de partisans vont perdurer, constituant une menace constante, d'autant plus que l'accès à des technologies militaires leur sera facilité.

Un arc d'instabilité resserré en 2025 ?

Dans notre précédent rapport, ***Comment sera le monde en 2020 ?***, nous estimions que les États les plus prédisposés aux conflits se situaient sur un grand arc d'instabilité qui part de l'Afrique subsaharienne, traverse l'Afrique du Nord, le Moyen-Orient, les Balkans, le Caucase, l'Asie du Sud et centrale et atteint certaines parties de l'Asie du Sud-Est. Aujourd'hui, quelques-unes de ces régions connaissent une activité économique croissante, avec des hausses du PIB modestes ou plus élevées, des réformes économiques lentes mais perceptibles, des réglementations plus efficaces, des marchés financiers en expansion, des taux d'investissement extérieurs et inter-régionaux importants, et les transferts de technologie qui vont de pair, plus la mise en place de nouveaux flux d'échanges commerciaux. À moyen et long terme, cette croissance devrait se poursuivre à condition que les prix de l'énergie restent élevés, sans l'être trop, pour ne pas entraver la croissance dans d'autres régions. La conscience d'une vulnérabilité accrue aux évolutions des marchés énergétiques mondiaux pourrait aussi favoriser la mise en œuvre d'autres réformes économiques, par exemple une plus grande diversification dans les pays riches en produits énergétiques.

Pour les régimes autoritaires, la gestion des changements économiques impliquera un délicat exercice d'équilibre entre les impératifs d'incitation à la croissance économique et le maintien d'un cadre autoritaire. Certains régimes y parviendront sans doute, mais il est probable que seuls un ou deux de ces pays deviendront de véritables démocraties, tandis que d'autres sombreront dans le désordre civil et la guerre, simplement parce que ces chefs d'État auront mal évalué certains facteurs d'équilibre ou de déséquilibre, ou se seront lancés dans des paris perdants.

Moyen-Orient : le risque croissant d'une course aux armements nucléaires…

Un certain nombre d'États moyen-orientaux songent déjà à développer ou acquérir la technologie leur permettant de se doter d'armes nucléaires. Dans les quinze ou vingt ans à venir, en réaction aux décisions prises par l'Iran concernant son programme nucléaire, certains États pourraient intensifier leurs efforts et envisager de poursuivre activement le développement d'un arsenal nucléaire. Cela donnera une dimension nouvelle et dangereuse à ce qui risque déjà d'être une lutte d'influence renforcée dans la région, y compris par personne interposée – les chiites en Iran et les sunnites chez la plupart de ses voisins. Les puissances extérieures à la zone entreront elles aussi en compétition pour préserver leur accès aux sources d'énergie et vendre des armements conventionnels sophistiqués en échange d'un plus grand poids politique et d'accords énergétiques.

… qui n'a rien d'inévitable… Historiquement, de nombreux pays ont eu des ambitions nucléaires, mais sans les réaliser pleinement. Les États peuvent souhaiter détenir la capacité technologique de produire des armements nucléaires sans en produire pour autant. Des contraintes technologiques, le désir d'éviter un isolement politique et de chercher à mieux s'intégrer dans l'économie mondiale pourraient dissuader Téhéran de se doter de cette arme. Toutefois, la simple capacité de l'Iran à produire ce type d'armement pourrait suffire à provoquer dans la région des réactions déstabilisantes.

Si l'Iran se dote effectivement de l'arme nucléaire, ou s'il est perçu dans la région comme possédant les moyens de la construire, d'autres pays de la zone pourraient décider de *ne pas* chercher à acquérir cette même capacité. Mais il est plus probable que quelques-uns des voisins de l'Iran, voyant dans l'arsenal nucléaire réel ou virtuel de Téhéran une menace mortelle ou un renversement profond et intolérable de l'équilibre des pouvoirs dans la région, voudront poursuivre eux-mêmes un programme nucléaire. Les garanties de sécurité offertes par les puissances nucléaires existantes et considérées comme crédibles par les États de la zone pourront constituer aux yeux de ces derniers une compensation suffisante à la capacité nucléaire militaire iranienne. On ne peut toutefois pas s'attendre que de telles garanties satisfassent tous ceux qu'inquiète la nucléarisation de l'Iran.

… **mais qui est potentiellement plus dangereuse que la Guerre froide.** La perspective que la possession d'un armement nucléaire enhardisse l'Iran, qu'elle déstabilise d'autant plus la région et modifie l'équilibre des pouvoirs au Moyen-Orient semble être une inquiétude majeure pour les États arabes de la région et pourrait en inciter quelques-uns à vouloir se doter de moyens nucléaires dissuasifs. L'augmentation de la capacité nucléaire iranienne est déjà en partie responsable d'un surcroît d'intérêt pour l'énergie nucléaire au Moyen-Orient, ce qui fait monter d'un cran les inquiétudes concernant une éventuelle course aux armements. La Turquie, les Émirats arabes unis, Bahreïn, l'Arabie Saoudite, l'Égypte et la Libye ont déjà commencé à construire de nouvelles centrales nucléaires, ou ont l'intention de le faire. Si à l'avenir l'Iran montre qu'il envisage de produire l'arme nucléaire, d'autres États de la région pourraient être amenés à poursuivre leur propre programme nucléaire.

La Corée sans le nucléaire ?

Nous estimons qu'en 2025 la Corée pourrait être unifiée – sous la forme d'une confédération Nord-Sud, sinon d'un État unique. Bien que les efforts diplomatiques en vue de l'abandon par la Corée du Nord de son programme nucléaire se poursuivent, l'état de la capacité et des infrastructures nucléaires nord-coréennes lors de cette réunification future reste incertain. Mais une nouvelle Corée réunifiée, aux prises avec les énormes besoins financiers nécessaires à sa reconstruction, préférera sans doute s'assurer la reconnaissance et l'assistance économique internationale en dénucléarisant la péninsule, peut-être à la manière de l'Ukraine après 1991. Une confédération peu contraignante des deux Corées pourrait compliquer des efforts de dénucléarisation. Une telle réunification aurait d'autres conséquences stratégiques, notamment une coopération renforcée entre grandes puissances afin de répondre à de nouveaux défis tels que la dénucléarisation, la démilitarisation, la gestion des flux de réfugiés et le financement de la reconstruction.

« Nous estimons qu'en 2025 la Corée pourrait être unifiée – sous la forme d'une confédération Nord-Sud, sinon d'un État unique. »

Il n'est pas certain que le type de relations dissuasives stables qui a pu exister pendant presque toute la guerre froide puisse s'instaurer naturellement dans un Moyen-Orient où plusieurs États disposeraient de capacités à produire l'arme nucléaire. La possession d'une telle arme serait perçue non comme le moyen d'éliminer ou de limiter la portée de conflits mineurs ou d'actions terroristes, mais comme une garantie de « sécurité », ou pour s'engager dans des offensives conventionnelles de plus grande envergure, pourvu que certaines lignes rouges ne soient pas franchies. Reste qu'un incident entre États nucléarisés pourrait provoquer une escalade nucléaire. La dissémination des capacités nucléaires dans tout le Moyen-Orient, où plusieurs États vont être confrontés à des problèmes de succession au cours des vingt prochaines années, suscitera également des inquiétudes : les États les plus faibles sauront-ils conserver le contrôle de leurs technologies et de leurs arsenaux nucléaires ? Si le nombre d'États nucléarisés augmente, celui des gouvernements disposés à fournir une aide nucléaire à d'autres pays ou à des terroristes augmentera d'autant. Les possibilités de vols ou de détournements d'armes, de matériel et de technologies nucléaires – et d'utilisation frauduleuse du nucléaire – en seront également multipliées. Enfin, le nombre de puissances se dotant de la capacité nucléaire en réaction à la nucléarisation de l'Iran pourrait suffire à ce que des pays extérieurs au Moyen-Orient se mettent à développer leur propre programme d'armement nucléaire.

De nouveaux conflits sur les ressources naturelles ?

Les besoins énergétiques croissants de populations et d'économies en expansion seraient susceptibles de remettre en question la disponibilité, la fiabilité et le coût des approvisionnements énergétiques. Une telle situation ferait monter les tensions entre des États en concurrence face à des ressources limitées, surtout si elle s'accompagne d'une recrudescence de l'agitation politique au Moyen-Orient et d'une perte générale de confiance dans la capacité du marché à satisfaire une demande en hausse. Des sociétés nationales pourraient contrôler l'essentiel des ressources en hydrocarbures, ce qui compliquerait les relations entre États, sources d'énergie et préoccupations géopolitiques.

Devant la raréfaction de l'énergie, certains pays pourraient prendre des mesures pour s'assurer un accès à ces ressources. Dans le pire des cas, si les chefs de gouvernement considéraient l'accès aux réserves énergétiques comme essentiel au maintien de la stabilité de leur pays et à la survie de leur régime, des conflits entre États pourraient survenir. Toutefois, en dehors même de la guerre, quand certains gouvernements mettront en place des stratégies les prémunissant contre une éventuelle insuffisance énergétique face à une demande croissante, les actions entreprises auront d'importantes répercussions géopolitiques. Ce sont des considérations de cet ordre qui incitent déjà des pays comme la Chine et l'Inde à devenir actionnaires d'exploitations pétrolières. Et plus la concurrence augmente, plus elle s'appuie sur des forces militaires susceptibles de provoquer des tensions, et même des conflits. Les États disposant de ressources énergétiques insuffisantes pourront utiliser le commerce d'armes ou de technologies sensibles et la promesse d'alliances politiques et militaires comme arguments pour établir des relations stratégiques avec les pays producteurs.

• L'Asie centrale est devenue une zone d'intense compétition internationale pour l'accès à l'énergie. La Russie et la Chine ont beau travailler main dans la main pour réduire l'influence de puissances extérieures, notamment les États-Unis, à l'avenir, leur compétition en Asie centrale pourrait s'intensifier. On peut supposer que la Russie chercherait à s'ingérer dans les relations qu'entretient la Chine dans cette région, et que Pékin accentuerait ses pressions pour obtenir l'accès aux ressources énergétiques de régions ayant appartenu autrefois à l'Union soviétique.

• Le développement de nouvelles techniques de forage pourrait permettre la découverte et l'exploitation de champs pétrolifères en très grande profondeur, encore inexploités. Si toutefois ces champs se trouvaient dans des zones du globe dont la propriété fait l'objet de contestations, comme l'Asie ou l'Arctique, des conflits pourraient s'ensuivre.

Moyen-Orient/Afrique du Nord : l'économie pousse au changement, non sans risques de troubles majeurs

Le Moyen-Orient et l'Afrique du Nord conserveront en 2025 leur importance géopolitique, qui repose sur le rôle essentiel du pétrole pour l'économie mondiale et sur des risques d'instabilité. L'avenir de la région dépendra de la manière dont ses dirigeants géreront les retombées du pétrole, les évolutions démographiques, les pressions en faveur de changements politiques et les conflits régionaux.

Selon un scénario optimiste qui inclut une croissance économique solide, les dirigeants locaux choisiront d'investir dans la région ; ils mettront en œuvre des politiques économiques, éducatives et sociales propres à développer la croissance ; ils susciteront des réformes politiques favorisant des partis modérés – probablement islamistes ; ils s'efforceront d'apaiser les conflits locaux ; ils mettront en place des mesures de sécurité de nature à éviter toute instabilité.

• Selon un scénario plus pessimiste, les dirigeants ne sauront pas préparer leur population, toujours plus nombreuse, à s'insérer de façon productive dans l'économie mondiale, des régimes autoritaires s'accrocheront au pouvoir et se feront plus répressifs, les conflits régionaux ne trouveront pas de solution, et l'accroissement de la population épuisera les ressources.

Démographiquement, un certain nombre de pays de la zone Moyen-Orient-Afrique du Nord en sont au même point que Taiwan et la Corée du Sud avant leur grand démarrage, dans les années 1960 et 1970. Au cours des quinze prochaines années, dans des pays comme l'Égypte, la part de la population active (âgée de 15 à 64 ans) va excéder celle de la population économiquement dépendante dans une proportion nettement supérieure à celle que connaissent d'autres pays. Un tel écart permettrait d'accélérer la croissance économique, pour peu que les gouvernements mettent en œuvre les politiques économiques et sociales appropriées. C'est dans les États d'Afrique du Nord et du Golfe que les perspectives d'avenir sont les meilleures.

• Les investissements étrangers – émanant en grande partie de la région – favoriseront l'intégration entre les économies arabes et encourageront le développement du secteur privé. Les industries les plus prometteuses en termes de création d'emplois appartiendront probablement au secteur des services, ce qui engagera la région dans une voie différente de celle de l'Asie.

• Pour maximiser leur potentiel de croissance, les gouvernements de la zone Moyen-Orient/Afrique du Nord devront améliorer leurs systèmes éducatifs de manière à former une force de travail plus qualifiée techniquement et à encourager leurs citoyens, accoutumés à des emplois dans le secteur public, à se plier aux exigences et à l'instabilité du secteur privé. (Les économies est-asiatiques ont prospéré grâce aux efforts soutenus des gouvernements pour améliorer rapidement la qualité de leur main-d'œuvre par l'éducation et pour promouvoir le développement de leurs industries d'exportation.)

Dans d'autres régions, l'accession de jeunes adultes au monde du travail – allant de pair avec une natalité en déclin et une diminution du nombre de jeunes – a ouvert les portes à la démocratisation. D'après les travaux de sociologues, quand une proportion croissante de la population s'implique dans le système social, des États autoritaires comme la Corée du Sud et Taiwan ont estimé pouvoir introduire une certaine libéralisation politique. D'importants pays d'Afrique du Nord – Algérie, Libye, Maroc, Égypte et Tunisie – auraient la faculté de mettre en œuvre ce genre de lien entre démographie et démocratie entre aujourd'hui et 2025, mais il n'est pas évident que leurs régimes autoritaires veuillent exploiter ces possibilités de libéralisation.

Un monde musulman à deux niveaux ? Même si le paradigme occidental séparant religion et autorité laïque séduit de moins en moins les musulmans, il est possible que l'accent mis sur l'économie et, facteur encore plus important, l'irruption des femmes dans le monde du travail alimentent de nouvelles formes d'un islam progressiste. Cela ne veut pas dire que les filières extrémistes disparaîtraient ; à court terme, elles bénéficieraient même du malaise provoqué par le nouveau rôle des femmes et par des modèles familiaux inédits. Mais, avec le temps, si la sécularisation du sud de l'Europe peut servir de référence, la diminution de la fertilité favorisant la stabilité religieuse et politique, on pourrait voir fleurir et se développer des versions modernes de l'islam d'ici à 2025.

La diffusion des dissensions politiques à travers le discours religieux – variante de la renaissance mondiale des identités religieuses après la fin de la Guerre froide – et les efforts des États pour manipuler les courants islamistes renforceront la prégnance de l'islam sur la politique et les sociétés du Moyen-Orient. Par voie de conséquence, des pressions en faveur d'un plus grand pluralisme politique conféreront probablement plus de poids au rôle des partis politiques islamistes et favoriseront la réflexion sur les interactions et les influences réciproques qui devraient exister entre l'islam et la politique, promesse d'une grande agitation politique et sociale.

Même si certains États se libéralisent, d'autres n'y parviendront pas. L'excédent démographique, des conflits profonds et anciens et des perspectives économiques limitées maintiendront sans doute la Palestine, le Yémen, l'Afghanistan, le Pakistan et d'autres pays dans la catégorie des régions à hauts risques. Les retombées des troubles dans ces pays rendront sans doute plus difficile l'accession d'autres pays de la zone à davantage de prospérité et de stabilité politique. La capacité des États à développer leur économie et à poursuivre des réformes politiques sera en grande partie déterminée par le succès des efforts de résolution des conflits locaux et le déploiement de dispositifs de sécurité capables de stabiliser la région.

La résolution des conflits syrien et palestinien avec Israël contribuerait à élargir le discours idéologique et politique dans les cercles laïques et islamistes, réduirait à néant le prétexte traditionnellement invoqué pour le maintien d'armées fortes et les restrictions imposées aux libertés, et détendrait les tensions ethniques et confessionnelles dans la région.

L'évolution de l'Iran aura probablement un impact durable dans la région – pour le meilleur ou pour le pire. Le régime iranien, son nationalisme et son ambivalence à l'égard des États-Unis rendront chaotique et dangereuse la transition de son statut de dissident régional vers une position d'interlocuteur influent. Si Téhéran ne devrait pas renoncer à son ambition de devenir le chef de file de la région – et une puissance nucléaire –, il aura du mal à ignorer les pressions intérieures et extérieures en faveur des réformes. La perception par l'Iran d'une plus grande communauté d'intérêts avec l'Occident, par exemple en Irak et en Afghanistan, et des progrès vers la paix entre Israël et les pays arabes susceptibles d'affaiblir les liens entre l'Iran et la Syrie tout en satisfaisant les alliés locaux de Téhéran ou en les mettant sur la touche, seraient autant d'incitations en matière de sécurité et de pressions pour inciter le régime iranien à réajuster son rôle dans la région. Un consensus politique intérieur permettant de développer le potentiel économique non négligeable du pays – avec l'appui d'une population qui se dresserait contre la corruption et la mauvaise gestion de l'économie, et une diminution de la rente pétrolière – pourrait entraîner la politique du gouvernement vers la gauche et inciter le pouvoir à réajuster ses positions dans le but d'assouplir les sanctions américaines et internationales.

L'inquiétude concernant l'accès aux ressources énergétiques suscite également une forte concurrence dans le domaine naval. En 2025, malgré le nombre croissant de projets d'oléoducs, les pays asiatiques seront encore dépendants du transport du pétrole en provenance du Moyen-Orient par voie maritime. Cet état de fait soulève la question de la sécurité des mers dans une zone qui s'étend du golfe Persique à l'Asie de l'Est et du Sud-Est. Il entraîne aussi des efforts de développement et de modernisation des flottes dans la région. La Chine et l'Inde se dotent d'une flotte militaire en haute mer nécessaire à la protection de leurs avoirs économiques vitaux et à la sécurité de leur approvisionnement en énergie. En 2025, les autres flottes nationales du

Sécurité énergétique

Autres exemples d'une éventuelle militarisation de la sécurité énergétique :

États exerçant leur contrôle sur les ressources énergétiques comme moyen de coercition et d'influence politiques.

La Russie cherche à se positionner pour exercer son contrôle sur l'approvisionnement énergétique et les réseaux de transport en Europe et en Asie orientale, ce qui permettrait à Moscou d'utiliser sa mainmise sur l'acheminement de l'énergie pour promouvoir les intérêts et l'influence russes.

Menaces que font peser le terrorisme et la piraterie sur la production et le transport de l'énergie.

Les déclarations publiques des leaders d'Al-Qaida indiquent que les terroristes ont l'intention de frapper les exploitations pétrolières du golfe Persique. La protection des oléoducs, des équipements, des moyens de transport du pétrole constituera un problème de sécurité crucial et une mission pour les forces armées.

Instabilité intérieure, insurrections et conflits dans les pays producteurs et exportateurs de pétrole.

À l'heure actuelle, la violence ethnique et politique et certaines activités criminelles menacent une grande partie de la production pétrolière au Nigeria. Dans un pays producteur d'énergie, la défaillance de l'État peut rendre nécessaire l'intervention militaire de puissances étrangères, afin de stabiliser les flux énergétiques.

Moyen-Orient et de l'Asie ne pourront pas remplacer l'US Navy dans son rôle de protecteur des voies de communication maritimes, mais la multiplication de bâtiments appartenant aux pays de la région risque d'augmenter les tensions et rivalités.

• Ces inquiétudes croissantes relatives à la sécurité en mer pourraient faire naître une coopération multinationale pour la sécurisation de voies maritimes vitales. Toutefois, d'éventuels soupçons mutuels sur les intentions cachées liées au développement de flottes rivales ou à la conclusion d'alliances excluant certains acteurs de premier plan ruineraient ces efforts de coopération internationale.

• Une course aux armements navals pourrait aussi avoir lieu en Asie si la Chine poursuivait l'accroissement de sa puissance dans ce domaine. Une telle course pourrait également être déclenchée par des moyens « antiaccès » – des sous-marins d'attaque ou missiles à longue portée – considérés comme des tentatives de la Chine d'étendre son influence politique sur la région et de dissuader toute tentative de rompre ses approvisionnements énergétiques par l'intermédiaire d'entraves au commerce maritime.

Les ***changements climatiques*** ne risquent sans doute pas de provoquer des guerres entre États, mais ils pourraient susciter de fortes dissensions interétatiques et peut-être des conflits armés mineurs. L'eau se raréfiant dans plusieurs régions du monde, il est possible que la coopération en matière de ressources en eau devienne de plus en plus difficile entre États, d'où des tensions régionales. Seraient concernées par ces problèmes la région de l'Himalaya qui alimente en eau les principaux fleuves de Chine, du Pakistan, de l'Inde et du Bangladesh ; Israël et les Territoires palestiniens ; les rives du Jourdain (frontière entre Israël et la Jordanie) et la vallée de Fergana en Asie centrale.

Un autre emploi des armes atomiques ?

Ces vingt prochaines années, le risque d'un recours à l'arme nucléaire, tout en restant très faible, sera sans doute plus important qu'aujourd'hui du fait de plusieurs tendances convergentes. La dissémination des technologies et des compétences atomiques génère des inquiétudes quant à l'émergence potentielle de nouvelles puissances nucléaires et l'acquisition de ces matériels par des groupes terroristes. Les tensions permanentes entre l'Inde et le Pakistan continuent d'agiter le spectre d'une escalade qui aboutirait à un conflit armé entre ces deux puissances. La possibilité d'un changement ou d'un écroulement de régime politique dans un État nucléarisé comme la Corée du Nord suscite des inquiétudes sur la capacité des États faibles à contrôler et à sécuriser leurs arsenaux.

Outre ces problèmes déjà anciens, on peut craindre que de nouveaux développements politico-militaires contribuent à éroder le « tabou » lié à cet armement. La perspective d'un Iran possesseur de cette arme déclenchant une course aux armements au Moyen-Orient poserait de nouveaux problèmes de sécurité dans une région déjà sujette aux conflits, surtout depuis que des systèmes de missiles de longue portée s'y multiplient. Enfin, l'acquisition d'armements nucléaires par des États dont les procédures de commandement et de contrôle sont insuffisantes augmenterait la probabilité d'une utilisation accidentelle ou non autorisée de ces armes.

À l'avenir, face à l'asymétrie entre les moyens militaires conventionnels de pays rivaux, les États faibles pourraient être tentés de considérer les armes nucléaires comme un moyen de défense nécessaire et justifiable en réponse à des offensives conventionnelles massives. En pareil cas, le pays attaqué essaierait de limiter l'escalade possible en effectuant simplement un essai nucléaire pour témoigner de sa résolution et dissuader l'agresseur, ou en limitant l'usage d'armements nucléaires à la défense de son propre territoire. Le recours à des attaques à capacité de destruction limitée passerait par l'utilisation d'armes de faible puissance ou d'explosions nucléaires en haute altitude destinées à perturber les réseaux et systèmes informatiques ennemis par le seul effet des impulsions électromagnétiques. De telles tactiques éroderaient encore davantage le tabou de l'arme nucléaire et entraîneraient un réexamen des vulnérabilités des forces armées conventionnelles.

Si des armes nucléaires devaient être utilisées dans les années à venir, les répercussions humaines, économiques et politico-militaires laisseraient le système international en état de choc. Mais, à plus long terme, la réaction du monde à un nouvel emploi des armes nucléaires dépendrait probablement du contexte dans lequel il aurait eu lieu. La perception qui prévaudrait sur le caractère justifié ou non de cette utilisation, le niveau de destruction qu'elle aurait provoqué et l'utilité future de cette arme amèneraient le monde à réagir en mettant un terme à la prolifération et en poussant au désarmement nucléaire.

• Une utilisation terroriste de l'arme atomique ou un conflit entre deux puissances nucléaires, telles que l'Inde et le Pakistan, suffiraient à démontrer les dangers de ces armes, suscitant des appels à un désarmement nucléaire mondial et poussant à prendre des mesures contre la prolifération et le terrorisme.

À l'inverse, un essai nucléaire réussi ou l'utilisation de ces armes par un État en riposte à une attaque conventionnelle pourraient convaincre de l'utilité de ce type d'armement pour la défense de la souveraineté des territoires et accroître les pressions en faveur de leur prolifération dans des pays ne possédant pas une armée conventionnelle forte ou des garanties de sécurité suffisantes.

Dans un cas comme dans l'autre, toute utilisation de ces armes entraînerait des changements géopolitiques profonds. En effet, certains États chercheraient à nouer ou à renforcer des alliances avec les puissances nucléaires existantes, tandis que d'autres défendraient un désarmement nucléaire mondial. En Europe, par exemple, des divisions se feraient jour entre certaines nations d'Europe occidentale, favorables à un désarmement, et celles d'Europe orientale, craignant encore l'arsenal russe.

Terrorisme : bonnes et mauvaises nouvelles

En 2025, il est peu probable que le terrorisme ait disparu, mais si la croissance économique se poursuit et si le chômage des jeunes au Moyen-Orient est en régression, il aura sans doute perdu de son attrait. Des opportunités économiques et un pluralisme politique dissuaderaient sans doute certains jeunes de rejoindre les rangs des terroristes mais d'autres – motivés par le désir de vengeance ou l'accession au statut de « martyr » – continueront de se tourner vers la violence pour atteindre leurs objectifs.

« D'ici 2025, la diffusion des technologies et des connaissances scientifiques mettra les moyens les plus dangereux du monde à la portée des groupes terroristes alors en activité. »

• Le chômage et l'absence de moyens légaux d'expression politique créeront du mécontentement, un radicalisme croissant et l'éventuel recrutement de jeunes gens par des groupes terroristes.

• Il est probable que les groupes terroristes et les mouvements insurrectionnels seront alors soit les descendants de groupes plus anciens – dont ils hériteront les structures organisationnelles, les processus de direction et de contrôle, les procédures d'entraînement nécessaires à la mise au point d'attaques sophistiquées –, soit des regroupements de jeunes en colère ou privés de droits civiques, et qui se seront radicalisés.

Tant que perdureront l'agitation et les perturbations sociétales générées par la raréfaction des ressources, la médiocrité des gouvernances, les rivalités ethniques ou la dégradation de l'environnement dans les pays du Moyen-Orient, les conditions resteront favorables à l'extension de l'extrémisme et des insurrections. Cet extrémisme sera diffusé et entretenu par la communication mondialisée et les médias. Des interconnexions de plus en plus nombreuses permettront à des individus de se regrouper autour de causes communes, par-delà les frontières, et de former des cohortes de mécontents, d'opprimés et d'individus privés du droit de vote. Dans certaines situations, ces nouveaux réseaux pourraient agir comme forces progressistes en soumettant les gouvernements à des pressions, par des moyens non violents, pour qu'ils remédient à l'injustice, à la misère, à l'impact du changement climatique et autres problèmes sociaux. À l'inverse, d'autres groupes pourraient utiliser les réseaux mondiaux de communication pour recruter et entraîner de nouveaux membres, diffuser leurs idéologies radicales, gérer leurs finances, manipuler l'opinion publique et coordonner des attaques.

Point positif : le soutien dont disposent les réseaux terroristes dans le monde musulman semble s'amenuiser. Pour réussir, les groupes terroristes doivent compter sur un grand nombre de partisans qui sympathisent avec leurs objectifs. La réduction de ce nombre est essentielle pour diminuer leur attrait dans une société donnée. L'analyse des communications entre terroristes démontre qu'ils se voient livrer un combat « perdu d'avance » contre les valeurs matérialistes occidentales. Des enquêtes et analyses des sites web jihadistes révèlent un mécontentement populaire grandissant suite à la morts de civils – en particulier musulmans – lors d'actions terroristes.

La diffusion des technologies et des connaissances scientifiques permettra aux groupes terroristes actifs en 2025 d'avoir accès à certains des moyens d'action les plus dangereux qui soient. La mondialisation des industries biotechnologiques entraîne une propagation des compétences et des capacités, et rend d'autant plus accessibles certains agents biologiques pathogènes utilisables dans le cadre d'attaques. Les armes radiologiques et chimiques peuvent aussi être utilisées par des groupes terroristes ou des mouvements insurrectionnels

Pourquoi la « vague terroriste » d'Al-Qaida pourrait s'essouffler

Au moment où Al-Qaida célèbre son vingtième anniversaire, la plupart des experts estiment que la lutte contre cette organisation se prolongera sans doute indéfiniment. Mais d'autres, qui ont étudié des « vagues » de terrorisme plus anciennes, pensent qu'Al-Qaida, selon les normes du terrorisme, est un groupe « vieillissant » souffrant d'une faiblesse stratégique qui pourrait le condamner au déclin, ce qui écourterait la vague terroriste islamiste.

Une vague de terrorisme est un cycle d'activité – qui peut durer une quarantaine d'années – caractérisé par des phases d'extension et de contraction : montée en puissance, marée de violence et reflux. Ce concept, développé par le professeur David C. Rapport de l'université de Californie, à Los Angeles, jette les bases d'une analyse comparative des mouvements terroristes. Chaque vague produit des activités terroristes similaires dans de nombreux pays, inspirées par une idéologie commune – anarchie, marxisme, nationalisme ou extrémisme islamique. **Les groupes terroristes qui forment la crête de la vague se dissolvent généralement avant la disparition de la vague elle-même**, et contribuent à cette disparition. Les faiblesses d'Al-Qaida – objectifs stratégiques hors de portée, incapacité à se doter d'une large base populaire, actions autodestructrices – pourraient entraîner sa disparition plus vite qu'on ne le croit.

Selon des chercheurs, les objectifs stratégiques des terroristes échouent sur deux fronts. Les objectifs constituant une menace pour l'ordre politique en place les exposent à de violentes mesures antiterroristes. Les objectifs perçus comme hors de portée ou sans rapport avec les problèmes à résoudre séduisent peu les élites ou les populations. Or les deux principaux objectifs d'Al-Qaida – l'instauration d'un califat islamique mondial et l'élimination de l'influence états-unienne et occidentale, qui permettrait le renversement de régimes « apostats » – constituent une menace évidente pour de nombreux régimes musulmans existants et appellent des mesures antiterroristes fortes.

• Rien n'indique que la vaste majorité des musulmans juge de tels objectifs réalistes ou efficaces pour résoudre les problèmes pratiques du chômage, de la misère, de systèmes éducatifs médiocres et de mauvaise gouvernance.

Malgré la sympathie que recueillent certaines de ses idées et l'émergence de groupes affiliés dans des régions comme le Maghreb, Al-Qaida n'a pas réussi à élargir son assise dans le monde musulman. Son idéologie et sa politique violemment panislamiques ne séduisent qu'une faible minorité de musulmans.

• Selon les résultats d'une enquête sur les attitudes du public envers la violence extrémiste, Al-Qaida jouirait d'un soutien très faible chez les personnes interrogées en Algérie, en Égypte, en Jordanie, au Maroc, en Arabie Saoudite, au Koweït, au Liban, au Qatar, dans les Émirats arabes unis et au Yémen. L'enquête a aussi déterminé que dans tous les pays arabes, les majorités sont opposées à la violence jihadiste sur leur propre sol, quel que soit le groupe concerné.

• Al-Qaida s'aliène d'anciens partisans en faisant des victimes musulmanes lors de ses attaques. Des recherches récentes indiquent que les groupes terroristes qui tuent des civils atteignent rarement leurs objectifs stratégiques. Bien qu'il soit difficile d'évaluer avec précision le nombre de victimes musulmanes d'Al-Qaida dans le monde, les données disponibles permettent de l'évaluer à 40 % au moins.

La durée des cycles terroristes (quarante ans) fait penser que les rêves qui ont incité la génération des pères des membres de groupes terroristes à s'organiser ne séduisent plus les générations suivantes. L'hypothèse selon laquelle Al-Qaida compterait parmi les quelques groupes capables de passer d'une génération à l'autre est peu probable, étant donné son idéologie austère, ses objectifs irréalistes et son incapacité à soulever les masses.

En s'appuyant uniquement sur le terrorisme comme moyen d'atteindre ses objectifs au lieu de se transformer en mouvement politique comme le Hezbollah ou le Hamas, Al-Qaida a fait un choix qui conduit rarement à la victoire. Des recherches universitaires récentes indiquent que seuls 6 % des groupes terroristes actifs au cours des quarante dernières années ont atteints les objectifs qu'ils s'étaient fixés. L'échec d'Al-Qaida dans ses attaques contre « l'ennemi lointain » pourrait annoncer une période d'opérations inefficaces entraînant une frustration croissante, une dynamique sur le déclin et l'incapacité d'attirer de nouvelles recrues.

L'Histoire suggère que le mouvement terroriste islamique mondial survivra à la disparition d'Al-Qaida en tant que tel. Les efforts antiterroristes devront donc se concentrer sur les raisons d'être et les conditions d'apparition d'un éventuel successeur dans les dernières années de la « vague terroriste islamique ».

cherchant à se créer un avantage dans leur lutte contre des forces armées ou de sécurité, et qui souhaiteraient faire un grand nombre de victimes. La prolifération d'armes tactiques sophistiquées rendra encore plus probable leur utilisation à des fins terroristes. Les missiles antichars guidés et autres systèmes de guidage manuels optimisés, les explosifs thermobariques et autres découvertes récentes, la prolifération de la robotique et de détecteurs peu coûteux applicables à la fabrication d'explosifs performants illustrent bien ces dangers.

Certains gouvernements réagiront sans doute à la menace du terrorisme et de soulèvements intérieurs en étoffant leurs forces de sécurité, leurs moyens de surveillance et en multipliant leurs forces spéciales d'intervention. Les missions contre le terrorisme et les mouvements insurrectionnels impliqueront des opérations urbaines imposées par une urbanisation plus dense. Les gouvernements, invoquant la nécessité d'un renforcement de la sécurité et leur désir de contrôler des flux de réfugiés et d'immigrés jugés indésirables, dresseront probablement de plus en plus de barrières autour de leur territoire pour en interdire l'accès. Dans plusieurs pays, les enclaves résidentielles protégées, avec accès contrôlé, se multiplieront et les élites chercheront à se protéger contre les menaces intérieures.

Le caractère changeant des conflits

Les conflits ne cesseront d'évoluer à mesure que les combattants potentiels s'adapteront aux avancées scientifiques et technologiques améliorant l'efficacité des armements, ainsi qu'aux modifications des systèmes de sécurité. En 2025, la guerre pourrait être caractérisée par les tendances suivantes :

L'importance croissante de l'information. Les progrès des technologies de l'information autorisent de nouvelles synergies de combat, associant un armement de précision qui améliore les capacités de surveillance et de tir, un commandement et un contrôle plus performants, et l'utilisation de la robotique et de l'intelligence artificielle. La prolifération des armes de précision à longue portée permettra à davantage d'États de menacer de destruction rapide les infrastructures économiques, énergétiques, politiques et militaires vitales de l'adversaire. L'importance grandissante des technologies de l'information comme arme de guerre moderne fera de l'information elle-même une cible prioritaire des futurs conflits. En 2025, certains États déploieront sans doute des armes destinées à détruire l'information – ou à la rendre inutilisable – et à neutraliser les détecteurs et les réseaux et systèmes de communication à l'aide d'armes antisatellites, de radiofréquences et d'armes laser.

L'évolution des capacités offensives des forces irrégulières. L'adoption des tactiques de la « guerre irrégulière » par les États ou les acteurs non étatiques, à titre de première approche, pour contrer des armées mieux équipées sera l'une des caractéristiques essentielles des conflits. La prolifération d'armements légers, d'armes de précision et d'armes individuelles, couplée aux technologies de l'information et de la communication, va sensiblement accentuer la menace que représentent les méthodes de la guerre irrégulière au cours des prochaines 15 ou 20 années. Les technologies de communication modernes comme les satellites et les téléphones portables, l'Internet et le cryptage commercial, combinées avec des appareils de navigation et des systèmes informatiques portables pouvant contenir un grand nombre de textes, cartes, images et vidéos, permettront aux futures forces irrégulières de s'organiser, de se coordonner et d'exécuter des opérations en ordre dispersé.

La prééminence des aspects non militaires de la guerre. Les moyens de guerre non militaires, les formes de conflits fondées sur la cybernétique, l'économie, les ressources, la psychologie et l'information revêtiront une importance accrue. Les adversaires, qu'ils soient ou non des États, se livreront à des « guerres de médias », s'assureront le contrôle du flux médiatique pour manipuler l'opinion publique, faire avancer leur cause et s'assurer un soutien populaire.

L'expansion et l'escalade des conflits hors des champs de bataille traditionnels. Contenir l'expansion et l'escalade des conflits sera de plus en plus problématique. Les progrès de l'armement de précision à longue portée, la prolifération d'armes de destruction massive et le recours à de nouvelles formes de conflit, comme la guerre cybernétique et spatiale, fourniront aux armées nationales et aux groupes indépendants les moyens d'une escalade et d'une extension des conflits à l'extérieur des champs de bataille traditionnels.

Afghanistan, Pakistan et Irak : trajectoires locales et intérêts extérieurs

Les événements d'Afghanistan, du Pakistan et d'Irak affecteront de façon cruciale la stabilité de la région, sinon l'ordre mondial. En 2025, les trajectoires de ces trois États auront sans doute profondément divergé.

L'**Afghanistan** sera toujours le théâtre de relations et de conflits tribaux. Hormis l'intermède taliban, ce pays n'a jamais connu d'autorité centrale forte ; les forces centrifuges risquent de rester puissantes, même si Kaboul raffermit son emprise.

• Réalisées par l'Occident, les infrastructures, l'assistance économique et la reconstruction risquent de constituer de nouveaux enjeux pour les rivalités locales, au lieu de servir de bases à une économie et à une unité sociale de type occidental.

• La mondialisation a fait de l'opium la meilleure source de revenus de l'Afghanistan ; le pays aura du mal à en développer d'autres, surtout tant que ses relations économiques et commerciales avec l'Asie centrale, le Pakistan et l'Inde resteront peu développées.

Des querelles tribales et confessionnelles perdureront certainement, provoqueront des affrontements et se déplaceront constamment au gré des positions prises par les différents acteurs. Les étrangers auront la possibilité de nouer des alliances temporaires afin de détruire l'ennemi terroriste, de se frayer un accès aux ressources locales et de promouvoir leurs autres intérêts propres ou des objectifs plus ambitieux – et plus coûteux.

L'avenir du **Pakistan** demeure imprévisible, eu égard au futur de son voisin afghan. La province frontière du nord-ouest du Pakistan et les zones tribales, toujours mal gouvernées, seront la source d'une instabilité transfrontalière ou la nourriront. Si le Pakistan est incapable de se maintenir en l'état jusqu'en 2025, il est probable que l'on assistera à une large coalition des tribus pachtounes qui œuvreront ensemble à la destruction de la ligne Durand[1], augmentant l'espace vital des Pachtounes aux dépens des Punjabis au Pakistan, des Tadjiks et d'autres peuples en Afghanistan. Autre hypothèse à retenir : les talibans et d'autres groupes activistes islamiques pourraient imposer partiellement une politique de caractère tribal.

En **Irak**, un grand nombre de notables locaux se réclamant d'une ethnie, d'un groupe confessionnel ou d'une tribu rivaliseront pour instaurer et étendre des zones d'autorité politique et sociale, pour assurer et élargir leur accès aux ressources naturelles, ou pour contrôler la distribution de ces ressources à travers leurs réseaux de protégés.

• En 2025, au lieu de placer à sa tête une autorité légitime en politique et en économie, le gouvernement de Bagdad pourrait encore faire l'objet de rivalités entre différentes factions désireuses de s'assurer l'aide étrangère et l'accès à certains postes.

---

1. La ligne Durand, frontière entre Pakistan et Afghanistan, est une division artificielle que ne reconnaît pas le gouvernement afghan.

Ce qui se produira en Irak affectera les adversaires du pays, tant à l'extérieur qu'à l'intérieur. L'Iran, la Syrie, la Turquie et l'Arabie Saoudite auront de plus en plus de mal à ne pas s'impliquer. Un Irak incapable de maintenir sa stabilité intérieure resterait une force perturbatrice régionale. Si le conflit actuel dégénérait en guerre civile, Bagdad apporterait aux autres pays de la région la démonstration éclatante des conséquences négatives du sectarisme confessionnel. Un Irak stable, à l'inverse, constituerait un exemple positif de croissance économique et d'évolution politique.

• Tous les pays en jeu regarderont vers les États-Unis pour assurer la stabilité, sauf Téhéran qui craindra encore pour sa propre souveraineté et s'inquiétera des projets de Washington à son égard.

• Les sondages révéleront sans doute une adhésion du peuple à son identité « irakienne », mais la persistance de systèmes de sécurité concurrents, d'organisations sociales et de réseaux de subsistance rivaux entretiendra des identités locales et confessionnelles solides.

Les **sunnites** ne s'intéresseront à l'État que si celui-ci leur fournit ce qu'ils estiment être une part suffisante de ressources naturelles, en grande partie situées en dehors des zones qu'ils contrôlent. Si cette satisfaction leur est refusée, l'agitation des jihadistes sunnites, des chefs tribaux et autres notables pourrait constituer un facteur de déstabilisation. En outre, un accroissement significatif du nombre de sunnites irakiens émigrant en

La fin de l'idéologie ?

Dans un monde où les États seront préoccupés par les défis de la mondialisation et les alliances changeantes entre grandes puissances, nous estimons que des conflits idéologiques comparables à la guerre froide ont peu de chances de voir le jour. Le pouvoir de l'idéologie sera sans doute plus fort dans le monde musulman – surtout dans son noyau arabe où les diverses expressions de l'islam exerceront encore une influence profonde sur les règles sociales et sur la politique. Elles formeront aussi un prisme à travers lequel les individus observeront les forces économiques et culturelles de la mondialisation. Une observance religieuse plus stricte et l'échec du nationalisme arabe laïc mettront les mouvements politiques et sociaux islamiques en position d'exercer leur influence idéologique sur les gouvernements et les populations du monde musulman au cours des 15 à 20 prochaines années.

Au fur et à mesure que les chefs religieux se détacheront des centres traditionnels du savoir et de la jurisprudence pour défendre leurs propres interprétations du Coran et des hadith (la tradition orale), le discours islamique gagnera en fluidité. Ce contournement de la tradition, auquel participeront les technologies informatiques, favorisera le développement du salafisme (qui se réfère aux premiers temps de l'islam), y compris dans ses formes les plus radicales, salafisme qui risque de saper l'influence des alliés occidentaux dans le monde musulman, notamment au Moyen-Orient. Toutefois, la dispersion de l'autorité religieuse entre des réseaux de penseurs partageant la même sensibilité pourrait aussi offrir des perspectives nouvelles quant à la relation de l'islam avec le monde moderne et fournir un contrepoids à la tendance radicale.

La direction que prendra la lutte idéologique interne à l'islam dépendra essentiellement de circonstances locales. Dans les pays où les tendances économiques et démographiques seront favorables, où la population et le gouvernement opteront pour la mondialisation, un islam prônant l'innovation culturelle, l'apprentissage des sciences, l'expérimentation politique et le respect du pluralisme religieux devrait connaître un nouvel essor. Dans les pays qui seront confrontés à une poussée démographique aiguë et à des résultats économiques insuffisants – comme l'Afghanistan, le Nigeria, le Pakistan et le Yémen –, c'est sans doute la tendance salafiste radicale qui s'imposera.

Jordanie et en Syrie mettrait en péril la sécurité de ces pays.

Les **chiites**, si fiers de leur supériorité récemment acquise, ont toujours été divisés, et les rivalités personnelles parmi les Sadr, les Hakim et autres notables risquent encore de peser sur l'action politique de cette communauté. Les tribus mixtes sunnites-chiites pourraient servir de ciment à l'intégration des deux communautés mais seulement si le développement économique entraîne la création d'une administration centrale et d'un système national de production et de distribution plus transparents et plus fiables. La création d'une armée nationale bien intégrée serait un facteur important dans la réalisation d'un État irakien plus fonctionnel. Cela impliquerait que les officiers et les troupes renoncent à leur loyalisme actuel envers les tribus et les groupements confessionnels et lui préfèrent un esprit d'équipe et le sens d'une identité nationale.

Le déclenchement possible d'une pandémie mondiale

L'apparition d'une nouvelle maladie respiratoire humaine virulente, extrêmement contagieuse, pour laquelle il n'existe pas de traitement adéquat, pourrait déclencher une pandémie mondiale. Si une telle maladie apparaît, d'ici à 2025, des tensions et des conflits internes ou transfrontaliers ne manqueront pas d'éclater. En effet, les nations s'efforceront alors – avec des capacités insuffisantes – de contrôler les mouvements des populations cherchant à éviter l'infection ou de préserver leur accès aux ressources naturelles.

L'apparition d'une pandémie dépend de la mutation génétique naturelle, de la recombinaison de souches virales déjà en circulation ou encore de l'irruption d'un nouveau facteur pathogène dans la population humaine. Les experts voient dans les souches hautement pathogènes de la grippe aviaire telles que le H5N1 des candidats probables à ce type de transformation, mais d'autres agents pathogènes, comme le coronavirus du SRAS et diverses souches de la grippe, auraient les mêmes propriétés.

Si une maladie pandémique se déclare, ce sera sans doute dans une zone à forte densité de population, de grande proximité entre humains et animaux,Si une maladie pandémique se déclare, ce sera sans doute dans une zone à forte densité de population, de grande proximité entre humains et animaux, comme il en existe en Chine et dans le Sud-Est asiatique où les populations vivent au contact du bétail. Des pratiques d'élevage non réglementées favoriseraient la circulation d'un virus comme le H5N1 parmi les populations animales – augmentant les chances de mutation d'une souche susceptible de provoquer une pandémie. Pour se propager rapidement, il suffit que la maladie apparaisse dans des régions à forte densité humaine.

Dans un tel scénario, la maladie tarderait à être identifiée si le pays d'origine ne disposait pas des moyens adéquats pour la détecter. Il faudrait des semaines pour que les laboratoires fournissent des résultats définitifs confirmant l'existence d'une maladie risquant de muter en pandémie. Entre-temps, des foyers se déclareraient dans des villes du Sud-Est asiatique. En dépit de restrictions limitant les déplacements internationaux, des voyageurs présentant peu ou pas de symptômes pourraient transporter le virus sur les autres continents.

Les malades seraient de plus en plus nombreux, de nouveaux cas apparaissant tous les mois. L'absence d'un vaccin efficace ou d'immunité dans le reste du monde exposerait les populations à la contagion[1]. Dans le pire des cas, ce sont de dix à plusieurs centaines de millions d'Occidentaux qui contracteraient la maladie, et les morts se compteraient par dizaines

1. Des centres de recherches, aux États-Unis et dans le monde entier, travaillent à la mise au point de vaccins capables de prévenir ou de limiter les pandémies de grippe. Un résultat positif dans les prochaines années réduirait le risque que représente une telle pandémie pour les décennies à venir.

de millions[1]. Dans le reste du monde, la dégradation des infrastructures vitales et les pertes économiques à l'échelle mondiale entraîneraient l'infection d'un tiers de la population du globe et la mort de centaines de millions d'êtres humains.

1. La vitesse de propagation de la maladie, le nombre de malades, la durée de leur maladie, le taux de mortalité, les symptômes et les séquelles de l'infection varieront en fonction des caractères spécifiques du facteur pathogène responsable de la pandémie. Ce scénario repose sur des caractéristiques plausibles et compatibles avec ces variables.

SCÉNARIO PLANÉTAIRE III :
LA RUPTURE ENTRE LES PAYS DU BRIC

Dans cette fiction, les craintes de la Chine concernant une perturbation de ses approvisionnements en énergie provoquent une crise avec l'Inde. Les contraintes liées aux ressources énergétiques étant appelées à se multiplier jusqu'en 2025, les litiges susceptibles d'en découler pourraient en effet provoquer des conflits. Le nombre de plus en plus restreint des producteurs d'énergie et leur concentration dans des régions instables comme le Moyen-Orient accentueront encore la vulnérabilité de ces ressources. Dans un monde où se multiplient les confrontations sur d'autres questions – les nouvelles barrières douanières, par exemple –, la probabilité de voir ces querelles dégénérer en conflits n'est pas à exclure. Comme le souligne ce scénario, les erreurs de perception – et de communication – pourraient jouer un rôle aussi déterminant qu'une menace réelle. Ce scénario illustre aussi la rivalité autour des ressources naturelles entre puissances émergentes. Malgré leurs importants gisements de charbon, la Chine et l'Inde disposent de réserves de pétrole et de gaz limitées et en voie d'épuisement. Elles doivent donc faire appel à des fournisseurs étrangers. Dans une réflexion sur les conflits potentiels de ce monde multipolaire, il ne faut donc pas négliger d'éventuels affrontements entre puissances émergentes.

Les conditions préalables à un tel scénario :

- *Une période de croissance régulière est suivie d'un ralentissement alors que les États affrontent une pénurie d'énergie et de ressources naturelles, un phénomène particulièrement aigu en Asie.*

- *Une intense compétition énergétique s'accompagne d'une poussée de nationalisme dans un monde « à somme nulle ».*

- *Un équilibre du pouvoir s'instaure, qui s'apparente à une version moderne de la période précédant 1914.*

Lettre du ministre des Affaires étrangères en exercice à l'ancien président de la République brésilienne.

1er février 2021

J'ai entendu dire qu'à l'époque – mais je ne sais pas si l'histoire est véridique – Goldman Sachs n'avait ajouté le Brésil au désormais célèbre groupement des puissances émergentes du BRIC qu'après mûre réflexion. Le bruit court qu'ils auraient eu besoin d'un quatrième pays, de préférence dans l'hémisphère Sud, car les trois autres appartenaient tous à l'hémisphère Nord. Et le fait que le nom du Brésil commence par la lettre B a sans doute joué en notre faveur.

Que l'anecdote soit véridique ou non, le Brésil s'est beaucoup démené, ces six derniers mois. Il a accompli des exploits diplomatiques dont les États-Unis eux-mêmes seraient incapables dans les circonstances actuelles.

Permettez-moi de revenir au début de l'affaire, bien que vous en connaissiez certainement l'essentiel. En fait, pour aller à l'origine de la rupture sino-indienne, il faut remonter à la période où ces événements ne faisaient pas encore les gros titres des médias. Une série d'incidents mineurs a abouti à l'attaque par la Chine de deux vaisseaux de guerre indiens dans le golfe d'Oman, attaque qui a déclenché une riposte américaine contre des bâtiments chinois au moment où ceux-ci tentaient de quitter la zone.

Depuis quelques années, les Chinois observaient une conjonction de facteurs qui, de leur point de vue, risquait de compromettre leur économie, et donc leur survie politique. Tout d'abord, les Japonais avaient pris un avantage considérable en augmentant leurs moyens de contrôle maritime dans des zones âprement contestées, et apparemment prometteuses, en matière de production pétrolière et gazière.

Ensuite, la modernisation de l'armée indienne avait connu une accélération notable et les Indiens avaient tenté de saper l'influence chinoise en Asie du Sud-Est, étoffant ainsi leurs moyens de dissuasion maritime dans des régions que traversent le pétrole et le gaz du Moyen-Orient pour arriver en Chine. À son tour, Pékin a réagi en renforçant sa présence dans la région avec l'ouverture de bases navales au Pakistan. La stratégie de Pékin consistait de plus en plus clairement à dissuader toute tentative indienne de couper les voies d'approvisionnement en énergie de la Chine en menaçant à son tour les routes maritimes de l'Inde. Les tensions entre les deux pays se sont encore aggravées après la disparition inexpliquée d'un sous-marin chinois qui surveillait un exercice de la flotte indienne.

Ensuite, la Chine et la Russie ont brutalement rompu leurs relations malgré la collaboration qu'entretenaient les deux nations au sein de l'Organisation de coopération de Shangai. Des signes de plus en plus nombreux ont permis à Pékin de comprendre que les Russes tentaient de court-circuiter ses relations avec les producteurs eurasiatiques d'énergie, mettant ainsi sa sécurité énergétique en péril. Et le fait que les technologies alternatives – charbon propre, solaire, vent et géothermie – n'aient pas tenu leurs promesses, en dépit des investissements consentis par la Chine et les États-Unis, n'a rien arrangé.

Comme vous le savez, quelques escarmouches avaient déjà eu lieu entre la Chine et la Russie à l'extrême est du territoire russe, avant même l'incident sino-indien. Si les Chinois craignaient le double jeu des Russes en Asie centrale, les Russes, eux, ne s'inquiétaient pas moins des menées de la Chine aux marches orientales de son territoire. Lorsque la Russie a accusé un groupe d'étudiants pékinois d'espionnage et les a incarcérés à Vladivostok, ce nouvel incident, vous vous en souvenez, a donné lieu à leur évasion spectaculaire, orchestrée de main de maître par Pékin et qui a tant humilié les Russes. Certains ont comparé ce coup d'éclat à un second Port Arthur, en référence à la destruction de la flotte russe par les Japonais en 1905.

Enfin, la concurrence et la lutte d'influence pour l'accès à l'énergie qui se sont déclenchées au Moyen-Orient ont fourni une nouvelle toile de fond à la rivalité croissante entre la Chine, l'Inde et la Russie. Les États-Unis ayant réduit la présence de leurs forces armées au Proche-Orient suite à leur intervention en Irak, les autres grandes puissances ont cherché à combler ce vide. Les États du Golfe, en particulier, ont voulu resserrer leurs liens avec d'autres puissances pour compenser ce qu'ils percevaient comme un affaiblissement du rôle sécuritaire des États-Unis.

Dans le même temps, l'Iran continuait à exercer son pouvoir, source d'un surcroît de tensions dans la région. Une série d'incidents entre les forces navales iraniennes et arabes dans le golfe Persique a déclenché une crise. L'Iran menaça de couper l'accès au golfe Persique à toutes les flottes militaires extérieures à la région, excepté celles des puissances « amies ». Les États-Unis ripostèrent par de nouvelles sanctions économiques contre Téhéran assorties d'une tentative d'embargo contre les livraisons d'armes à l'Iran. Téhéran menaça immédiatement d'entraver le trafic pétrolier dans le Golfe si les États-Unis ne renonçaient pas à leur projet.

Washington exerça alors d'intenses pressions sur la Chine, l'Inde et d'autres nations pour qu'elles résistent aux avances iraniennes et suspendent tout commerce avec Téhéran. Craignant une interruption de ses approvisionnements en pétrole, Pékin joua sur les deux tableaux en s'efforçant de maintenir de bonnes relations avec les Arabes tout en promettant son soutien à l'Iran.

Quelques années plus tôt, la Chine s'était constitué d'importantes réserves stratégiques qui ne pouvaient toutefois durer éternellement, et l'incertitude sur la suite des événements a déstabilisé le gouvernement de Pékin. New Delhi, dépendant de l'Iran pour ses approvisionnements gaziers, s'efforça aussi de nuancer sa réaction en cherchant à maintenir ses bonnes relations avec les États-Unis et les États arabes. Résultat, l'Inde refusa de cautionner des sanctions économiques qu'elle estimait plus préjudiciables aux populations qu'à l'État iranien, mais accepta d'aider les États-Unis à imposer un embargo sur les armes à destination de l'Iran.

Vous voyez comment tout cela a pu planter le décor de cet incident naval. Les Chinois étaient sur les nerfs, mais très confiants après l'affaire de l'Extrême-Orient russe. Lorsque les Indiens tentèrent d'arraisonner un navire chinois qu'ils croyaient chargé d'une cargaison de nouveaux missiles de croisière destinés à l'Iran, les forces navales chinoises s'interposèrent. Les Chinois estimèrent que les navires indiens agissaient en tant que substituts des États-Unis. L'attaque américaine confirma cette analyse. La crise amorcée au Moyen-Orient – qui, en réalité, dressait les États-Unis et l'Europe contre l'Iran – prenait soudain des dimensions planétaires.

Heureusement, au cours des semaines qui ont suivi, et contrairement à ce qui s'était passé en 1914, toutes les puissances ont fait machine arrière. Mais le prix du baril de pétrole s'est envolé, atteignant le seuil des 300 dollars, et tous les marchés financiers sont en train de sombrer. Et cela me permet de revenir à la position du Brésil. Notre pays était la seule puissance d'envergure qui jouissait de la confiance de toutes les autres. Les nations européennes elles-mêmes s'étaient discréditées à cause de leur soutien aux États-Unis lors de la crise iranienne. La Chine tentait désespérément de se sortir d'une position qui aurait été encore pire si un conflit avec l'Inde et les États-Unis avait réellement éclaté. Les États-Unis aussi voulaient trouver une issue à cette impasse dont apparemment seuls les Iraniens sortiraient vainqueurs, et peut-être aussi les Russes, qui observaient benoîtement la situation et amassaient des liquidités considérables grâce à la montée des prix de l'énergie. Il est évident que notre politique responsable de développement des biocarburants ne pouvait qu'ajouter à notre crédibilité.

Au cours de ces négociations, j'ai voulu aller plus loin en ne me contentant pas d'obliger toutes les parties à reculer et à verser des réparations pour les dégâts infligés à leurs flottes respectives. La Chine doit aussi recevoir certaines assurances sur ses approvisionnements en provenance du Golfe – quand ils reprendront.

Je ne suis pas certain d'avoir réussi à restaurer la confiance mutuelle entre ces trois grandes nations – les États-Unis, la Chine et l'Inde. Je sens bien que leurs armées respectives prendront prétexte de cet incident pour réclamer une sécurisation militaire renforcée des sources d'approvisionnements énergétiques. Nous assisterons peut-être à une nouvelle course aux armements navals.

En Chine, le gouvernement craint que l'humiliation provoquée par l'attaque américaine ne déclenche de violents troubles sociaux. Il est vrai qu'en ce moment les États-Unis sont eux aussi la cible d'un accès de nationalisme – leur nouvelle ambassade n'est plus qu'un tas de ruines carbonisées. Les Iraniens se sont un peu calmés, surtout depuis que les États-Unis et l'Europe ont fait quelques concessions pour permettre la reprise du trafic pétrolier et pour désamorcer la crise avec la Chine et l'Inde.

J'ai prévenu mes trois interlocuteurs, les États-Unis, la Chine et l'Inde, que notre prochaine rencontre devrait se tenir ici, à Rio. Je compte sur l'atmosphère conviviale de la ville pour détendre l'atmosphère. Nous sommes à la veille du carnaval…

6

LE SYSTÈME INTERNATIONAL SERA-T-IL À LA HAUTEUR DE CES DÉFIS ?

La tendance vers une plus grande diffusion de l'autorité et du pouvoir, observée depuis déjà deux décennies, se confirmera et connaîtra sans doute une accélération due à l'émergence de nouveaux intervenants sur la scène internationale, à l'inefficacité de plus en plus évidente de certaines institutions, à la croissance économique des blocs régionaux, aux progrès de la technologie et au pouvoir croissant des acteurs et des réseaux non étatiques.

• En 2025 les États-nations ne seront plus les seuls acteurs de la scène mondiale – ni les plus importants – et le « système international » aura changé pour s'adapter à cette réalité nouvelle. Mais cette transformation sera incomplète et inégale. Même si les États ne disparaissent pas de la scène internationale, le **pouvoir relatif** de divers acteurs non étatiques – hommes d'affaires, communautés ethniques, organisations religieuses et même réseaux criminels – va se renforcer. Ces groupes exerceront leur influence sur un éventail de plus en plus large de questions sociales, économiques et politiques.

Cette multiplicité croissante des acteurs pourrait permettre de mieux charpenter le système international en comblant les vides laissés par des institutions vieillissantes, mises en place après la Première Guerre mondiale. À l'inverse, elle pourrait aussi contribuer à morceler plus encore ce système et à entraver la coopération internationale. Face au déclin d'institutions anciennes moins à même de régler les nouvelles difficultés transnationales, la diversité des nouveaux acteurs pourrait conduire à une plus grande fragmentation encore.

Multipolarité contre multilatéralisme

Dans un tel contexte, on ne peut s'attendre à une approche équilibrée, exhaustive et cohérente de la gouvernance mondiale. Les tendances actuelles permettent de penser qu'en 2025 cette gouvernance s'apparentera davantage à une mosaïque d'associations ponctuelles, de coalitions changeantes composées d'États membres, d'organismes internationaux, de mouvements sociaux, d'ONG, d'organisations philanthropiques et d'entreprises.

• Cette diversité des acteurs et des intérêts affaiblira la capacité des Nations unies à réunir un consensus entre ses membres pour mener des actions multilatérales efficaces ou pour mener à bien une réforme profonde du système de l'ONU – notamment au sein du Conseil de sécurité, dans sa composition actuelle ou dans une composition future élargie.

• Cette multipolarité rendra également improbable l'existence d'un État-nation dominant, disposant à la fois du pouvoir considérable et de la légitimité nécessaire pour devenir le seul agent de la réforme institutionnelle. (Sur le rôle des États-Unis, voir *infra*.)

La plupart des problèmes multinationaux – changement climatique, régulation des marchés financiers, migrations, États défaillants, réseaux criminels, pour ne citer que ceux-là – ne se résoudront pas grâce aux seules initiatives de tel ou tel État-nation. La nécessité d'une gouvernance mondiale efficace s'imposera trop vite pour que les mécanismes existants puissent y répondre. Les dirigeants rechercheront des solutions alternatives – avec de nouvelles institutions ou, plus probablement, des associations plus informelles. Les tendances récentes indiquent que les institutions multilatérales existantes – lourdes et inadaptées – auront du mal à entreprendre de nouvelles missions, accueillir de nouveaux membres et réunir les fonds nécessaires à leur fonctionnement. Les ONG et les organismes philanthropiques – souvent hautement spécialisés – seront de plus en plus présents dans le paysage, mais en l'absence d'efforts concertés des gouvernements ou des institutions multilatérales, il est probable que leur capacité à changer les choses soit assez limitée.

La recherche d'une plus grande intégration – reflétant l'émergence de nouvelles puissances – pourrait aussi empêcher les organisations internationales de relever certains défis transnationaux. Le respect des opinions dissidentes de certains pays membres continuera à définir les priorités des organisations et à limiter la portée de leurs actions. Les organismes de premier plan et les institutions qui s'ouvrent à de nouveaux membres – l'assemblée générale des Nations unies, l'Otan, l'Union européenne – trouveront sans doute la tâche particulièrement ardue. Il est cependant peu probable que l'on fasse table rase de la structure internationale actuelle, pour éliminer certaines entités et en réinventer d'autres.

L'existence d'institutions trop nombreuses, inefficaces, disposant d'une légitimité limitée et dont l'objet est parfois obsolète, serait également un frein à la prise de décisions. Ce danger est présent à tous les niveaux, depuis les institutions soutenues par l'Occident jusqu'à celles liées à l'histoire du tiers-monde.

Nous estimons que la course aux armements, les expansions territoriales et les rivalités militaires qui ont caractérisé la multipolarité de la fin du XIXe siècle auront moins de poids au XXIe siècle, mais nous ne saurions pour autant exclure pareille évolution. Pour une majorité de pays, les rivalités stratégiques auront probablement pour objets le commerce, les investissements directs et l'innovation technologique. Toutefois, les inquiétudes croissantes liées aux ressources – en énergie ou en eau, par exemple – pourraient aisément raviver les différends territoriaux ou les querelles de frontières.

En Asie, le nombre de ces questions frontalières est particulièrement important et, en Asie centrale, de vastes gisements de ressources énergétiques rendent encore plus probable un retour au Grand Jeu du XIXe siècle, avec des nations rivales se disputant le droit exclusif de contrôler l'accès aux marchés. Le fait que certains pays risquent de connaître un déclin brutal si des énergies alternatives au pétrole se développent rapidement constitue également une source d'instabilité potentielle. La puissance nationale en plein essor de pays comme la Chine, l'Inde et quelques autres pourrait inciter des pays voisins plus petits à rechercher des protections ou à susciter des interventions étrangères, afin de rétablir un certain équilibre.

Combien de systèmes internationaux ?

Les puissances émergentes, la Chine et l'Inde notamment, ont tout intérêt à maintenir un ordre ouvert et stable, mais divergent sur les « moyens » pour y parvenir. Leur réussite économique spectaculaire s'est accomplie, pour certains, selon un modèle opposé au « laisser faire » occidental. Comme nous l'avons vu, le changement climatique, les besoins en énergie et d'autres ressources risquent de rendre l'objectif prioritaire du développement économique de ces pays plus problématique. La question se pose de savoir si les nouveaux acteurs de la scène internationale – et leurs approches alternatives de la croissance – pourront s'associer aux Occidentaux pour former avec eux un système international cohérent, capable de traiter efficacement le nombre croissant de problèmes transnationaux.

Tout en partageant la même conception d'un État centralisé, les puissances émergentes ont aussi des intérêts nationaux divergents et elles sont si dépendantes de la mondialisation qu'on voit mal comment elles pourraient former un bloc alternatif susceptible d'affronter directement l'ordre occidental mieux établi. Sans doute les organismes internationaux existants – Nations unies, OMC, FMI et Banque mondiale entre autres – sauront se montrer réceptifs et prêts à s'adapter pour répondre aux demandes des puissances émergentes. En revanche, que ces nouvelles puissances obtiennent – voire désirent obtenir – plus de pouvoirs et de responsabilités au sein de ces organismes est une autre question. Certains de ces pays émergents, sinon la totalité, seront peut-être trop heureux de profiter de ces institutions sans endosser les missions et les responsabilités propres à leur statut. Pourtant, leur qualité de membre n'implique pas nécessairement de lourdes responsabilités et ne leur interdirait en rien de poursuivre leur objectif de développement économique. Certains jugent un accord sur la nomination de nouveaux membres permanents du Conseil de sécurité peu probable, même au cours des quinze à vingt prochaines années. Ce qui leur offre un prétexte supplémentaire pour renoncer à un rôle mondial susceptible de nuire à leurs objectifs nationaux. Il reste donc une question importante, celle de savoir s'il existe une volonté politique suffisante pour réorganiser le système international afin de permettre aux puissances émergentes d'assumer leur part de responsabilité sur la scène mondiale.

« La plupart des experts [...] ne s'attendent pas à voir les puissances émergentes mettre le système international en difficulté ou le modifier radicalement. »

La plupart des experts – américains et étrangers – que nous avons consultés ne s'attendent pas à voir les puissances émergentes mettre le système international en difficulté ou le modifier radicalement comme l'ont fait l'Allemagne et le Japon à la fin du XIXe siècle et au début du XXe siècle. Au lieu d'adopter les règles du jeu occidentales, les puissances émergentes auront toute latitude pour élaborer des programmes politiques et économiques « sur mesure ». En raison de leur poids géopolitique

Un régionalisme accru – avantage ou inconvénient pour la gouvernance mondiale ?

Il existe une exception à la tendance générale vers davantage de multipolarité et moins de multilatéralisme. Elle pourrait concerner l'Asie, à un niveau régional. Si le projet d'une Grande Asie aboutissait, il comblerait le vide laissé par un ordre international multilatéral affaibli, mais il pourrait aussi saper cet ordre encore davantage. Aux lendemains de la crise financière asiatique de 1997, une remarquable série de projets panasiatiques – le plus conséquent étant l'ASEAN+3 – a commencé de voir le jour. L'apparition d'un équivalent asiatique de l'Union européenne paraît peu probable, même à l'horizon 2025. Toutefois, si l'on prend la date de 1997 pour point de départ, l'Asie a sans aucun doute évolué plus rapidement en dix ans que l'Europe au cours de la première décennie de sa construction. Dans le domaine économique, des acteurs extérieurs comme les États-Unis continueront à jouer un rôle de poids dans l'équation économique asiatique. Mais une démarche vers la création d'un panier de devises asiatique – ou même vers une devise asiatique accédant au statut de troisième monnaie de réserve – n'est pas purement hypothétique.

• Cette initiative serait en partie motivée par le désir de se protéger des turbulences financières extérieures, de faciliter l'intégration économique régionale et d'être plus présent sur la scène internationale.

• Parmi les aspects du régionalisme asiatique difficiles à quantifier, mentionnons des habitudes de coopération de plus en plus courantes, une vision confiante de l'avenir, la fréquence des rencontres entre fonctionnaires de haut niveau et l'affirmation d'une culture asiatique qui relie entre elles des histoires et des politiques différentes, créant ainsi une nouvelle communauté de vue.

Le régionalisme asiatique pourrait avoir des conséquences planétaires. Il renforcerait la création de trois ensembles commerciaux et financiers susceptibles de devenir des blocs régionaux – l'Amérique du Nord, l'Europe et l'Asie de l'Est.

L'existence de tels ensembles aurait aussi des répercussions sur la conclusion d'accords futurs au sein de l'OMC, où des groupements régionaux rivaliseraient pour la fixation de normes dans les domaines de l'informatique, de la biotechnologie, des nanotechnologies, des droits de propriété intellectuelle et autres produits de la « nouvelle économie ».

Une prise de position commune de l'Asie sur l'énergie pourrait servir de référence au reste du monde. Les deux tiers environ des exportations de pétrole du Moyen-Orient aboutissent en Asie, et 70 % des importations asiatiques proviennent du Moyen-Orient. Ces échanges vont probablement s'intensifier. Qu'ils gardent un caractère exclusivement commercial – investissements complémentaires et ventes de matériels militaires – ou qu'ils prennent un tour de plus en plus politico-stratégique, ils pourraient définir un aspect nouveau du système international.

• Dans le pire des cas – l'absence d'une coopération régionale élargie –, les inquiétudes concernant les voies d'approvisionnements pétroliers pourraient conduire à une course aux armements navals entre la Chine, le Japon et l'Inde.

Les événements touchant à la sécurité – domaine où l'intégration asiatique est aujourd'hui la plus faible et où subsistent des tendances à la rivalité et au protectionnisme – seraient un facteur de dilution du régionalisme. La Corée se réunifiera-t-elle, et comment ? Où en sera son programme nucléaire ? Les relations entre Taiwan et le continent évolueront-elles vers un conflit ? Se détendront-elles ? Ces questions seront des facteurs cruciaux d'infléchissement des dynamiques régionales. Les tendances actuelles semblent montrer que les questions de sécurité perdent de leur importance, mais elles pourraient être remplacées par d'autres, comme la rivalité autour des ressources. La gestion et l'élaboration d'une transition vers la réunification de la Corée pourraient transformer les pourparlers à six en un mécanisme conduisant à de nouveaux niveaux de coopération entre les États-Unis, le Japon et la Chine.

La réalisation d'une intégration plus ou moins avancée en Asie dépend en grande partie du caractère des liens futurs entre la Chine et le Japon. C'est la première fois, dans l'histoire moderne, que ces deux nations jouent un rôle de premier plan, simultanément dans leur région et au niveau mondial. Sauront-elles transcender leur méfiance historique et jouer le jeu d'une concurrence pacifique ? Une résolution positive des problèmes de la Corée et de Taiwan, une entente de type franco-allemand entre le Japon et la Chine diminueraient grandement la volonté américaine de maintenir une présence militaire dans la région à seule fin d'en préserver l'équilibre. Mais tant que les conséquences économiques et politiques de l'émergence chinoise ne seront pas mieux connues, les alliés asiatiques des États-Unis n'échangeront pas cette garantie américaine d'équilibre contre une quelconque organisation de sécurité collective.

croissant, de leurs marchés intérieurs et de leur rôle dans l'extraction des ressources mondiales, dans la production des biens, la finance et la technologie, ces puissances émergentes voudront aussi préserver leur liberté de manœuvre et préféreront laisser à d'autres la responsabilité de régler les problèmes de la mondialisation – terrorisme, changement climatique, prolifération nucléaire et sécurité énergétique. En ce qui concerne la Russie et la Chine, par exemple, leur nationalisme en matière de ressources et leur capitalisme d'État constituent les fondements d'une politique reposant sur les élites et limitent leur volonté de s'investir dans les questions majeures de l'économie internationale : le commerce, l'énergie, la finance ou le changement climatique.

• D'autres pays, comme l'Inde, manquent de vision stratégique, tant au plan politique qu'économique, et ne disposent pas du soutien populaire nécessaire pour libéraliser leur économie en profondeur. Bon nombre de problèmes mondiaux nécessiteraient des sacrifices ou des changements brusques dans les projets de développement de ces pays – autre raison pour laquelle ils préfèrent rester des observateurs au lieu de s'impliquer et d'assumer certaines responsabilités dans un système multilatéral.

Un monde de réseaux

En réaction aux insuffisances prévisibles de la gouvernance mondialisée, des réseaux vont se former entre acteurs étatiques et non étatiques, sur des questions spécifiques. Ces réseaux poursuivront des objectifs convergents, avec la volonté sincère de résoudre des problèmes, la défense d'intérêts commerciaux, des prises de position morales et la volonté de permettre aux organismes internationaux et aux ONG d'apporter des réponses pertinentes aux questions que pose un monde en mutation. Dans certains cas, le noyau d'un réseau sera constitué par une commission nationale ou internationale d'experts – non élus, mais d'un poids suffisant – chargée d'informer ou de surveiller certains aspects de la gouvernance, du commerce ou d'autres questions. Parmi les exemples actuels de ce type de réseau, citons le Forum de stabilité financière (FSF), le Carbon Sequestration Leadership Forum (CSLF) et le Partenariat international pour l'économie de l'hydrogène (IPHE).

Ces groupes d'intérêts contribueront certainement à fixer et à diffuser des normes et des réglementations dans divers domaines, notamment les technologies de l'information, les régimes de réglementation et la gestion de la « nouvelle économie postindustrielle ». Sur certaines questions, ils pourront fournir les bases d'un accord entre États-nations. Le travail de préparation s'effectuant dans un contexte informel, les gouvernements seront en meilleure position pour adopter des mesures appropriées pour la résolution de certains problèmes, accroître leur légitimité et revendiquer parfois la paternité de ces initiatives tout en évitant l'humiliation des solutions imposées par des organismes internationaux. En 2025, le nombre et la diversité des ONG auront sans doute explosé. Un droit d'entrée modique, des frais généraux peu élevés et la possibilité pour des individus et des groupes de procéder à des affiliations croisées via Internet faciliteront la création de ces collectifs.

Par ailleurs, un nouvel ensemble d'acteurs sociaux – des individus disposant d'un pouvoir énorme, voire des organisations criminelles – exercera une influence croissante sur la scène internationale. Le pouvoir de ces élites tient à leur fortune et à leur formidable carnet d'adresses, véritable annuaire de contacts nationaux et internationaux avec des hommes d'affaires, des gouvernements, des organismes de dimension internationale et des ONG. Grâce à ces contacts et à leurs identités nationales multiples, ces hommes contribuent à influencer les événements « transnationaux » sans se laisser arrêter par aucune frontière.

« Si les groupes religieux ont été les grands bénéficiaires de la mondialisation, la religion risque à l'avenir de devenir un véhicule d'opposition essentiel à ce même processus de modernisation. »

Le rôle croissant des religions. Dans la période précédant 2025, les réseaux de nature religieuse joueront sans doute un rôle plus déterminant sur le cours des événements qu'aucun groupe laïque transnational. De fait, nous sommes peut-être entrés dans une nouvelle ère du pouvoir clérical, où les chefs religieux deviendront les principales éminences grises de la résolution des querelles et des conflits futurs.

• De nos jours déjà, des « chefs d'entreprises religieuses » et des télévangélistes couvrant les deux hémisphères – Amir Khaled pour les musulmans et Matthew Ashimolowo ou Sunday Adelaja pour les chrétiens – en recueillent les fruits, en termes de pouvoir et d'influence. Le site Internet de Khaled est le troisième site arabe le plus consulté du monde – la chaîne panarabe d'information continue al-Jazeera étant le premier.

Fidèle à la tradition chrétienne, l'émergence de nouveaux modèles d'autorité et de pouvoir dans les pays du Sud suscite l'apparition de prêtres indépendants et de chefs d'entreprise religieux. Leurs activités leur valent un statut social éminent et leur rapportent de coquettes fortunes. Dans notre étude prospective, certains de ces évangélistes et prédicateurs chercheront probablement à prendre le pouvoir, surtout dans les pays qui auront été économiquement dévastés par une crise mondiale.

Si les groupes religieux ont été les grands bénéficiaires de la mondialisation, la religion risque à l'avenir de devenir un véhicule d'opposition essentiel à ce même processus de modernisation. Les structures religieuses relaient des revendications sociales et politiques, notamment celles des individus qui ne possèdent ni les moyens de communication ni l'influence dont disposent les élites. C'est là un point important, car les deux prochaines décennies seront dominées par des tendances économiques susceptibles de susciter des morcellements sociaux et le mécontentement populaire. Parmi ces tendances : des écarts croissants entre riches et pauvres, le fossé entre monde rural et monde urbain en Inde et en Chine, de vastes disparités entre pays avantagés par la modernisation et d'autres, tenus à l'écart, entre les États capables de gérer les conséquences de la mondialisation et ceux qui ne le seront pas. Les activistes religieux auront beau jeu de s'inspirer de textes sacrés et d'invoquer une longue tradition historique pour traduire la colère populaire en exigences de justice sociale et d'égalitarisme.

Si la croissance économique mondiale connaissait de graves revers – comparables à la crise indonésienne de la fin des années 1990, mais à l'échelle de la planète –, on assisterait sans doute, dans un certain nombre de pays comme le Brésil, la Chine, l'Inde, ainsi qu'en Afrique, à des insurrections en zones rurales et à des luttes ethniques alimentées par la religion. L'impact du changement climatique, même en supposant que les prévisions les moins alarmistes soient exactes, serait aussi capable de déclencher des conflits religieux dans une grande partie de l'Afrique et de l'Asie. Les pays les plus menacés par ce type de conflits et par des attaques contre des communautés minoritaires pourraient être les nations de majorité musulmane aux minorités chrétiennes importantes – Égypte, Indonésie et Soudan –, des nations essentiellement chrétiennes avec une minorité musulmane – République démocratique du Congo, Philippines et Ouganda – ou partagées entre chrétiens et musulmans – Éthiopie, Nigeria et Tanzanie.

Si les structures religieuses sont des véhicules possibles de résistance à la mondialisation, elles aident aussi les peuples à s'en arranger, favorisant ainsi la stabilité sociale et le développement économique. Sans le filet de sécurité que représentent ces religions, il régnerait dans les pays en voie de dévelop-

Prolifération des identités et intolérance croissante ?

La complexité accrue du système international aura un effet majeur : dans la plupart des sociétés de l'an 2025, plus aucune identité – l'assimilation citoyenneté/nationalité par exemple – ne sera dominante. La lutte des classes comptera autant que la religion et l'origine ethnique. L'Internet et autres supports multimédias permettront la réactualisation des notions de tribu, de clan et d'autres communautés d'allégeance. Une urbanisation explosive facilitera la diffusion de ces identités et multipliera les risques d'affrontements entre les groupes. Des populations migrantes venues de la campagne en nombre croissant s'installeront en ville dans des quartiers déjà habités par des populations de même origine, ou se verront enrôlées dans des gangs, voire dans des organisations criminelles plus élaborées. Une fois regroupées, ces communautés mettront en place leurs propres « gouvernements », quand elles ne seront pas « protégées » par le crime organisé. Les autorités locales et gouvernementales seront alors confrontées à des « zones interdites » comme il en existe déjà dans des villes comme Saõ Paulo et Rio de Janeiro.

Même si ces identités diverses, héritées ou choisies, ne seront pas moins « authentiques » que les catégories traditionnelles de la citoyenneté et de la nationalité, l'une de ces dernières conservera sans doute l'ascendant sur les autres. L'islam, par exemple, restera probablement une identité forte. Les sectes et autres différences au sein de l'islam seront des sources de tension, ou pis. L'activisme islamique risque de donner lieu, par contrecoup, à un activisme chrétien plus virulent. Le Nigeria, l'Éthiopie et d'autres pays d'Afrique seront toujours le théâtre de luttes entre groupes confessionnels. En 2025, le concept d'intégration multiethnique et la valeur de la « diversité » pourraient être confrontés à une série de difficultés provoquées par des nationalistes, des religieux fanatiques et peut-être aussi par la résurgence d'un néomarxisme ou d'une autre idéologie fondée sur la lutte des classes ou la laïcité.

pement un chaos et un morcellement bien plus considérables. Les sociétés essentiellement rurales s'étant largement urbanisées au cours des trente dernières années, des millions de migrants ont convergé vers des conurbations ne disposant pas des ressources ou des infrastructures capables de leur assurer les soins médicaux, les ressources financières ou l'éducation nécessaires. Le système social alternatif mis en place par les organisations confessionnelles a donc beaucoup contribué à attirer les populations vers la religion. Et c'est là un trait commun à toutes les confessions.

Plus l'État et ses rouages sont faibles, plus le rôle des institutions religieuses est crucial et plus l'attrait des idéologies religieuses, souvent de nature fondamentaliste ou théocratique, est puissant.

Un système international « fantôme » en 2025 ? Un plus grand morcellement du système international, telle est la menace que font peser les réseaux criminels transnationaux en s'accaparant la gestion des ressources du globe – énergie, minerais et autres marchés stratégiques – au-delà de leur implication traditionnelle

L'avenir de la démocratie : des retours en arrière plus probables qu'une nouvelle vague

Nous restons optimistes quant aux perspectives à long terme d'une démocratisation élargie, mais les progrès en ce sens risquent de ralentir. En effet, la mondialisation soumettra des pays récemment démocratisés à des pressions sociales et économiques croissantes qui risquent de saper leurs institutions libérales.

• Ironie du sort, certains revers économiques favoriseraient le mouvement de la Russie et de la Chine vers le pluralisme et une plus grande démocratisation. La légitimité du Parti communiste chinois repose de plus en plus sur sa capacité à assurer davantage de richesses matérielles à la population. Déjà, le ressentiment suscité par la corruption des élites augmente et, en cas de crise économique grave, il pourrait emporter le gouvernement. En Russie, le régime se trouverait pareillement menacé si le niveau de vie diminuait brutalement.

• Ailleurs, des enquêtes ont montré que la démocratie était bien enracinée, notamment en Afrique sub-saharienne et en Amérique latine, où elle est perçue positivement, indépendamment même de toute notion d'avantage matériel. Mais au cours de l'Histoire, les démocraties naissantes se sont aussi révélées instables dans la mesure où elles manquaient d'institutions libérales fortes – en particulier la règle de droit – capables de contribuer au soutien des institutions démocratiques pendant les phases de récession. Certaines études de cas illustrent bien le danger que représenterait une corruption généralisée venant saper la confiance dans ces institutions.

• Comme nous l'avons déjà suggéré, le fait que des régimes autoritaires parviennent à de meilleures performances économiques serait de nature à ébranler la confiance en la démocratie, encore considérée comme la meilleure forme de gouvernement. D'après les sondages que nous avons consultés, en Asie de l'Est, les gens accordent plus d'importance à une saine gestion, favorisant une hausse du niveau de vie, qu'à la démocratie. Ailleurs, même dans les démocraties les plus stables, ces enquêtes révèlent que l'opinion est de plus en plus déçue par le fonctionnement des institutions démocratiques et que les élites s'interrogent sur la capacité de ces gouvernements à traiter rapidement et efficacement des problèmes transnationaux épineux et de plus en plus nombreux.

dans le trafic international de stupéfiants. La demande énergétique mondiale, qui ne cesse de croître, fournit à ces criminels des occasions d'étendre leur champ d'activités en créant des liens avec les fournisseurs d'énergie et les chefs d'État des pays où sont basés ces fournisseurs. Dans ces pays généralement mal gouvernés, sujets à la corruption et privés de règles de droit, le potentiel de pénétration du crime organisé est élevé.

• Dans le secteur de l'énergie, les activités illicites des organisations criminelles assurent à leurs affiliés un avantage frauduleux dans la compétition sur les marchés mondiaux de l'énergie.

• Avec le temps, en déployant leurs tentacules jusque dans les bureaux des gouvernements et les conseils d'administration, ces réseaux criminels seraient en situation de contrôler les États et d'influencer les marchés, voire les politiques étrangères. Pour de nombreux pays riches en ressources énergétiques, c'est sur les revenus de ces ressources que repose toute leur économie, et les politiques énergétiques occupent une part importante dans les prises de décision en matière de politique étrangère.

• C'est sur les marchés eurasiens que la probabilité d'une pénétration par les réseaux criminels est la plus élevée. Le crime organisé fait partie du paysage économique et politique de cette région depuis longtemps, et certains grands criminels, devenus des hommes d'affaires influents, constituent des partenaires idéaux pour des fonctionnaires corrompus.

• À mesure que les fournisseurs russes et eurasiens prendront une place de choix sur les marchés de l'énergie en Europe et en Asie, nous prévoyons que ces réseaux du crime organisé élargiront leurs activités, aggravant la corruption et permettant la manipulation des politiques étrangères à leur avantage.

SCÉNARIO PLANÉTAIRE IV : *LA POLITIQUE N'EST PAS TOUJOURS UNE AFFAIRE LOCALE*

Dans cette fiction, un monde nouveau émerge où ce ne sont plus les États qui décident des programmes internationaux. La dispersion du pouvoir et de l'autorité a favorisé le développement d'entités indépendantes et transnationales, notamment des mouvements politiques et sociaux. Dans ce cas de figure, l'inquiétude croissante des populations devant la dégradation de l'environnement et l'inaction des gouvernements favorisent une « prise de pouvoir » par un réseau de militants qui s'emparent de tel ou tel dossier en le soustrayant au contrôle des fonctionnaires des pays concernés. Grâce aux technologies de l'information, des individus peuvent s'affilier directement à des groupes et des réseaux qui transcendent les frontières géographiques. La question de l'environnement est une de celles qui concentre un large éventail d'intérêts et de souhaits.

Les conditions préalables à un tel scénario :

• *Dans un monde largement décentralisé, les gouvernements nationaux perdent de leurs compétences et de leur pouvoir.*

• *Les diasporas, syndicats, ONG, groupes ethniques, organismes religieux et autres acquièrent suffisamment de pouvoir pour établir des relations formelles et informelles avec les États.*

• *Les technologies de la communication favorisent une insertion constante dans des réseaux identitaires.*

La politique n'est pas toujours une affaire locale

14 septembre 2024

Nous sommes entrés dans une ère où les gouvernements ne sont plus souverains. Entre commentateurs et observateurs, nous avons souvent évoqué la fin de l'« ère westphalienne », mais sans jamais vraiment y croire[1]. Qui plus est, nous avons toujours eu plus de mal à cerner ces acteurs non étatiques qu'à informer sur les politiques décidées sous les lambris et les ors des ministères. Mais force est de reconnaître que ces réseaux informels disposent maintenant d'un pouvoir réel. Contrairement aux gouvernements, ils obtiennent des résultats. Ils ont prouvé qu'ils comptent vraiment. Je fais ici allusion au nouveau traité sur le changement climatique, récemment ratifié – avant même l'expiration du précédent –, qui fixe des plafonds d'émission de carbone plus stricts et met en place à l'échelle planétaire des programmes de développement des énergies renouvelables et de nouvelles technologies nécessaires à la résolution des problèmes d'approvisionnement en eau.

Certes, il n'existe pas de réseau unique, et c'est peut-être là le secret. Non seulement nous avons vu différents groupes nationaux s'associer entre eux, mais beaucoup de réseaux qui avaient réussi à imposer ces négociations sur le changement climatique ont aussi su fédérer des groupements professionnels, des ONG et des groupes religieux appartenant à des pays, des classes sociales et des cultures différentes. L'utilisation aujourd'hui très répandue de l'Internet nouvelle génération – l'informatique ubiquitaire –, initialement destiné à des usages strictement commerciaux, a fortement accru l'impact de ces réseaux d'intérêt.

1. Les chercheurs en sciences politiques évoquent la fin de l'« ère westphalienne » (inaugurée au XVIIe siècle avec le traité de Westphalie qui ébauche l'organisation de l'Europe sur la base de relations entre États-nations). *(N.d.T.)* Source : M. Wieviorka, « Penser la violence : en réponse à Sergio Adorno », *Cultures & Conflits* n° 59, 3/2005, p. 175-184.

Mais tout cela n'aurait sans doute pas abouti sans la succession de catastrophes environnementales que le monde a connues. L'ouragan qui a frappé New York a été le détonateur. Le fait qu'il se produise peu avant la réunion de l'assemblée générale des Nations unies, à laquelle plusieurs de ces réseaux comptaient assister, a facilité leur regroupement. Mais rien ne se serait peut-être produit sans le cyclone qui a dévasté le Bangladesh l'année dernière, et sans le rapport récent de la Commission d'enquête sur le changement climatique faisant état de niveaux de CO_2 considérables, en dépit de tous les efforts consentis pour les réduire. Cette atmosphère de crise a été déterminante. Nous vivions en effet un de ces moments de l'Histoire où souffle un vent d'Apocalypse, avec un retour du millénarisme, et l'impression que la fin du monde est proche : il fallait agir, et vite.

En un sens, nous avons atteint la Terre promise, une terre où la coopération mondiale n'est plus seulement une « conspiration » des élites, mais un mouvement très actif, qui monte de la base et transcende les divisions nationales et culturelles. L'Union européenne avait suscité en nous ce genre d'espoir, avant de nous décevoir. Chacun de ses membres n'a jamais cessé de défendre un point de vue étroit, borné, et les peuples n'ont jamais renoncé à s'exprimer d'abord en tant que Français, Italiens ou Polonais, et non en leur qualité d'Européens.

C'est peut-être à l'essor des classes moyennes en Russie, en Chine et en Inde que l'on peut attribuer, en partie du moins, le mérite de cette évolution. À l'instar des classes moyennes occidentales au XIXe et au XXe siècle, elles se sont suffisamment enrichies pour s'intéresser aux risques sanitaires liés à la pollution et à une croissance rapide. Ces nouvelles classes moyennes voulaient que leurs gouvernements prennent des mesures, mais ces derniers s'y sont refusés. Elles ont été choquées par l'état lamentable des bâtiments et un urbanisme médiocre qui, dès que la catastrophe a frappé, ont entraîné la mort de nombreuses victimes. La lutte contre la corruption et la lutte pour la défense de l'environnement sont allées de pair. Et quand, en Afrique subsaharienne et ailleurs, les pauvres ont de plus en plus souffert du changement climatique, des activistes religieux se sont également mobilisés. Les migrants, obligés de quitter des terres stériles, et n'ayant pas les moyens d'acquérir les technologies de purification de l'eau, se sont tournés vers les Églises pour recevoir leur aide.

Ces institutions ont su détecter ces changements plus vite qu'aucun gouvernement. Voilà déjà quelques années que la réunion annuelle de Davos accueille des militants de ces réseaux. Et, depuis peu, elle a aussi abrité des réunions virtuelles ouvertes à des milliers d'autres participants. La pression est vite devenue trop forte pour que les États membres continuent à faire comme si de rien n'était. L'assemblée générale des Nations unies a réservé vingt sièges aux ONG qui se disputent chaque année le droit d'y prendre part pendant un an et de disposer d'un vote équivalent à celui des États-nations. Si ces réseaux d'intérêt risquent de ne pas être aussi efficaces sur d'autres dossiers, il n'en reste pas moins que la politique internationale a radicalement changé. L'environnement était une cause idéale car tout le monde préfère échapper à une apocalypse. Plus tard, sur un autre terrain, je crois que les différences nationales, religieuses, ethniques et de classes referont surface. Mais la réussite est là, et ce précédent incitera peut-être les gouvernements à tenir compte des ONG. Ou même à s'en faire des partenaires.

7

LE PARTAGE DU POUVOIR DANS UN MONDE MULTIPOLAIRE

Au cours des quinze à vingt prochaines années, les États-Unis auront sur l'évolution du système international un impact plus important que d'autres acteurs, mais dans un monde multipolaire, leur puissance n'atteindra jamais le niveau qu'elle avait atteint depuis plusieurs décennies. La relative diminution de leur poids économique et, dans une moindre mesure, de leur puissance militaire, limitera leur flexibilité de choix quant aux politiques à mettre en œuvre. Concernant la volonté et le souhait des États-Unis de conserver leur rôle de chef de file, ils risquent d'être bridés si les électeurs américains remettent en question le coût économique et militaire de cette politique. On peut estimer que les Américains hésiteront notamment à compromettre leurs perspectives d'avenir et préféreront consentir de nouvelles concessions.

L'évolution des événements dans les autres pays du monde, y compris sur le plan intérieur dans certains États – comme la Chine et la Russie – jouera également un rôle crucial dans les choix politiques des États-Unis. L'absence relative de conflits avec d'autres grandes puissances ouvrirait la voie à un système multipolaire dans lequel Washington tiendrait le « premier rôle » à côté de ses égaux. Enfin, ce sont les événements eux-mêmes qui affecteront les paramètres de la politique étrangère américaine. Certains événements imprévus, par exemple l'utilisation par des terroristes d'armes de destruction massive – atomiques ou non –, seraient susceptibles de bouleverser l'ensemble du système international et de renforcer le rôle de l'Amérique.

Les attentes que suscite une Amérique aux commandes resteront sans doute fortes, mais les capacités d'action des États-Unis vont diminuer

Malgré la montée de l'antiaméricanisme au cours de ces dix dernières années, les États-Unis seront sans doute encore perçus comme une force d'équilibre indispensable en Asie et dans le Moyen-Orient. Une enquête récente (voir encadré p. 283) témoigne, face à l'essor de la Chine, d'un malaise croissant chez ses voisins et, dans de nombreuses régions, d'une stabilisation, voire d'une amélioration de l'image des États-Unis. Le programme de modernisation de son armée qu'a entrepris la Chine, s'ajoutant à sa puissance économique grandissante, éveille chez ses voisins de vives inquiétudes. Et ces inquiétudes risquent de s'aggraver – même si l'Asie connaît une plus grande sécurité, notamment grâce à la normalisation des relations entre Taiwan et le continent –, encore que cette éventualité puisse aussi provoquer la réaction inverse. Au Moyen-Orient, un Iran nucléarisé inciterait encore plus les États-Unis à déployer un parapluie de sécurité au-dessus d'Israël et d'autres États.

« L'évolution des événements dans les autres pays du monde, y compris sur le plan intérieur dans certains États – comme la Chine et la Russie –, jouera également un rôle crucial dans les choix politiques des États-Unis. »

D'autres nations attendront toujours des États-Unis qu'ils restent aux commandes et pilotent les nouvelles questions dites de « sécurité », par exemple le changement climatique. Déjà, nombre d'entre elles jugent l'influence américaine indispensable pour convaincre des pays en plein développement comme la Chine et l'Inde, grands émetteurs de gaz à effet de serre, de prendre l'engagement de réduire leurs émissions de CO_2 après 2012. La plupart des pays du G7, comprenant qu'ils pâtissent eux aussi de ces émissions polluantes, ne sont pas opposés à une intervention américaine auprès de Pékin.

En outre, d'autres nations demanderont aux États-Unis de jouer un rôle de premier plan dans la lutte contre la prolifération des armes de destruction massive (ADM) en décourageant leur emploi, en soutenant les régimes qui s'y opposent, en interdisant leur acquisition, ou celle des compétences et des technologies associées, en diminuant ou en éliminant la présence de ces ADM dans les pays sensibles, en favorisant leur cadrage dans un contexte de dissuasion et en limitant les conséquences de leur utilisation.

Nouvelles relations et réétalonnage des anciens partenariats

Dans un monde de plus en plus multipolaire, le nombre des acteurs – y compris non étatiques – avec lesquels les États-Unis et d'autres puissances devront compter va augmenter. Le basculement dans un monde où le retour au mercantilisme et au nationalisme sur la question des ressources deviendrait le principal *modus operandi* de pays tiers priverait probablement les États-Unis d'un certain nombre de partenaires. Dans ce monde à « somme nulle », une telle dérive alimenterait les risques de tensions ou de confrontation entre puissances. D'autre part, sur une planète à la prospérité pérenne, le poids des tâches à accomplir s'alourdirait, imposant de prendre des mesures de revitalisation du multilatéralisme et des institutions mondiales.

Jusqu'en 2025, la Chine et l'Inde, concentrées sur leur développement, observeront sans doute un *statu quo*. Tirant profit du système actuel, elles seront peu disposées à réclamer aux États-Unis ou à d'autres puissances des transformations radicales de l'ordre international. Pékin et New Delhi attendront d'être en meilleure position pour contribuer à l'adoption de nouvelles règles de fonctionnement.

Les puissances émergentes voudront sans doute préserver leur latitude d'exercer une influence régionale indépendamment des États-Unis. Toutefois, leurs relations avec Washington vont sans doute s'approfondir, surtout si ces puissances poursuivent leur ambitieux programme de développement. En revanche, un effondrement économique, surtout dans le cas de la Chine, susciterait un regain de nationalisme et des tensions accrues avec les puissances étrangères, y compris avec Washington.

L'Europe devra faire face à de grosses difficultés intérieures susceptibles de réduire son rôle mondial, surtout dans le domaine de la sécurité. Le sentiment d'une menace croissante – terrorisme ou résurgence de la Russie – pourrait amener les Européens à réviser la part de leurs dépenses militaires et à réunir leurs moyens d'action. L'intérêt croissant que porte l'Europe à l'économie et au développement social du Moyen-Orient et du Maghreb devrait lui permettre de jouer un rôle stabilisateur comparable à celui qu'elle a eu en s'élargissant vers l'est. Pour ne pas se laisser distancer par la Chine, le Japon serait amené à renforcer son implication politique et ses engagements de sécurité dans la région. Il nous semble que d'autres pays, comme le Brésil, assumeront un rôle de plus en plus considérable dans leur région et s'investiront davantage dans certains débats centraux liés à la mondialisation, comme le commerce et le changement climatique.

Les tendances actuelles laissent penser que la Russie aurait un intérêt plus immédiat que d'autres puissances émergentes à défier ouvertement un système international qu'elle juge dominé par les Américains. Toutefois, la diversification de son économie, l'essor d'une classe moyenne indépendante et sa dépendance à l'égard des compétences technologiques et des capitaux étrangers pour le développement de ses ressources énergétiques seraient de nature à infléchir cette tendance. L'abandon anticipé des combustibles fossiles freinerait lui aussi la renaissance de la Russie.

Au Moyen-Orient, où les États-Unis resteront sans doute le principal acteur extérieur, les tendances actuelles indiquent que l'Asie renforcera sa place, du fait des liens économiques, doublés de relations politiques que tissent certains États dans la région. Les puissances asiatiques – et européennes – seraient contraintes de s'engager dans des efforts internationaux de renforcement de la sécurité au Moyen-Orient. Du fait des besoins humanitaires imposés par le changement climatique, le rôle des ONG s'étoffera. Et la communauté internationale, y compris les États-Unis, dépendra de plus en plus de ces ONG pour assumer la charge de l'aide humanitaire.

Moins de marge d'erreur financière

Le dollar est vulnérable à une éventuelle crise financière, et son rôle international, son caractère de « devise de réserve mondiale », va probablement s'estomper. En 2025, le dollar risque de n'être plus qu'une monnaie importante parmi d'autres, dans un panier de devises. Cela pourrait se produire subitement, à la suite d'une crise, ou progressivement, accompagnant un rééquilibrage mondial. Ce déclin imposera de nombreuses concessions et, en politique étrangère, obligera Washington à des choix inédits et complexes.

Le statut de devise de réserve mondiale du dollar confère aux États-Unis certains avantages en les isolant des risques de choc monétaire, et en leur autorisant de plus faibles taux d'intérêt. Inversement, une

Déclin de l'antiaméricanisme ?

La réputation des États-Unis dans le monde a beaucoup fluctué selon les époques – depuis le temps des « Yankees arrogants » des années 1950 aux protestations quasi unanimes de l'opinion internationale pendant la guerre du Vietnam dans les années 1960 et 1970, jusqu'aux prises de positions antinucléaires des années 1980 en Europe. La dernière décennie a vu un regain de l'antiaméricanisme. Entre 2002 et 2007, l'image des États-Unis s'est dégradée dans 27 des 33 pays sondés. Les critiques exprimées se rangent en deux catégories :

• Des « critiques passagères » alimentées par tel ou tel aspect spécifique des États-Unis, qui peut changer avec le temps – leur politique étrangère, par exemple.

• Un « antiaméricanisme » reflétant une antipathie profonde et sans mélange pour presque tout ce que représente l'Amérique.

Dans la mesure où certaines caractéristiques de la vie américaine – son système politique, son peuple, sa culture, sa science et sa technologie, son système éducatif et ses pratiques commerciales, pour ne citer que celles-là – suscitent l'admiration, la perception des États-Unis ne peut être que complexe, et les opinions changeantes et soumises à des révisions. La dégradation de l'image de l'Amérique a peut-être atteint son plus bas niveau. Des enquêtes menées par le Pew's Global Attitudes Project ont récemment montré que le taux d'opinions favorables a augmenté dans 10 des 21 pays pour lesquels les données sont disponibles. À l'avenir, quelles seraient les incitations et dynamiques susceptibles de favoriser la poursuite d'un tel revirement ?

Europe/Eurasie. Contrairement à des régions plus uniformément pro ou antiaméricaines, l'ensemble Europe-Eurasie a une vision assez composite des États-Unis. L'opinion publique d'Europe occidentale semble valoriser l'approfondissement des démarches multilatérales face aux problèmes internationaux, associant les États-Unis, leurs principaux alliés, l'OTAN et l'Union européenne. Dans les prochaines années, les sentiments des Européens du centre et de l'est, traditionnellement favorables à Washington, seront sans doute en repli et s'aligneront sur les positions de l'Europe occidentale. Aucun plan d'action entrepris par les Américains ne suffira à rassurer l'ensemble des États de l'ancienne Union soviétique. Toutefois, en s'abstenant de toute implantation militaire dans ce que Moscou considère comme l'« étranger proche » permettrait d'écarter une aggravation considérable des tensions avec la Russie.

Proche-Orient/Asie du Sud. Les sociétés les plus hostiles aux Américains sont situées dans le Moyen-Orient islamique, au Pakistan et en Afrique du Nord. L'Inde est une exception d'importance. Pour améliorer cette image des États-Unis, il faudrait notamment que ceux-ci s'impliquent davantage dans le règlement du conflit israélo-palestinien, qu'ils dissipent les craintes d'une guerre contre l'islam en évitant toute assimilation de ce dernier à la lutte contre le terrorisme, et qu'ils cherchent à aider les populations en difficulté – pas seulement les élites militaires et les personnels de sécurité. Dans la mesure où l'Iran est perçu comme un État dangereux, défenseur de thèses révisionnistes, les populations et les gouvernements de cette région auront tendance à voir d'un œil favorable la présence de moyens militaires américains.

Afrique subsaharienne. L'Afrique est toujours aussi bienveillante envers les États-Unis. Dans sa partie subsaharienne, les populations trouvent le mode et le niveau de vie américains généralement enviables. Si l'AFRICOM, nouveau commandement militaire américain pour l'Afrique, ne présente pas aux Africains un visage trop fortement militarisé, si l'aide économique et humanitaire se développe, les enquêtes montrent que l'opinion peut rester favorable aux États-Unis.

Est/Sud-Est asiatique. L'image de l'Amérique dans cette région du monde est déjà relativement positive. En dépit de la croissance économique chinoise et de l'intégration asiatique naissante, la puissance de séduction de l'Amérique éclipse encore celle de la Chine. Dans l'Asie du Nord-Est, et à un degré moindre dans l'Asie du Sud-Est, elle continuera d'être considérée comme un partenaire fiable dans le domaine de la sécurité. Dans l'opinion publique chinoise, son image variera en fonction des informations véhiculées par les médias officiels.

Amérique latine. Dans l'ensemble, la vision des États-Unis y est assez positive – elle l'est plus en Amérique centrale et moins dans les États andins. Un certain niveau d'immigration de travailleurs sud-américains aux États-Unis et la réinjection d'une part de leurs salaires dans l'économie de l'Amérique latine sera un facteur essentiel. La perception d'une certaine communauté d'intérêts entre les États-Unis et l'Amérique latine sera tout aussi importante. Cela concernera en particulier la lutte contre le trafic de drogues et le combat contre le crime organisé et les gangs.

Toutes régions confondues, quelle est la liste des éléments susceptibles d'infléchir l'antiaméricanisme à l'horizon 2025 ? Commençons par les éléments favorables à Washington.

• Beaucoup de chefs d'État et d'opinions publiques se méfient de la ***puissance*** en soi, quel que soit le pays qui l'exerce. À mesure que la Chine prendra du poids, leurs craintes se déplaceront vers Pékin, et les États-Unis, dans leur rôle de contrepoids, seront d'autant plus appréciés.

• Ils bénéficieront aussi d'un tournant prévisible dans la ***bataille des idées***. Tout d'abord, et c'est le plus important, dans les pays musulmans, le soutien aux terroristes a diminué de façon spectaculaire au cours de ces dernières années. Les attentats suicides y sont de moins en moins considérés comme justifiables, et la confiance dans Ben Laden est en déclin.

• Avec le développement de marchés importants, en Asie et ailleurs, la ***mondialisation*** sera moins souvent perçue comme une américanisation de la planète. Partout, les modes de vie traditionnels subiront des bouleversements, et les idées, les habitudes étrangères indésirables apparaîtront plus fréquemment comme le produit de la modernisation que comme un prolongement culturel de l'Amérique.

• Parmi les facteurs défavorables, retenons l'impression d'une trop grande lenteur dans la prise en charge des problèmes transnationaux comme le changement climatique, la sécurité alimentaire et la sécurité énergétique. Il subsiste aussi un facteur indéterminé : l'effet qu'aura l'envahissement généralisé de la téléphonie mobile, de la connectivité Internet et des médias captés par satellites sur la manière dont les individus du monde entier recevront les images en provenance des États-Unis. Mais, dans l'ensemble, les tendances dominantes semblent confirmer un déclin de l'antiaméricanisme.

demande étrangère en dollars toujours soutenue les autorise, fait unique, à entretenir de gros déficits budgétaires sans encourir les reproches de l'économie mondiale.

Ces privilèges étant consentis aux États-Unis depuis plus de soixante ans, ils ont sans doute imprégné la mentalité américaine au point de passer inaperçus. S'il est peu probable que le dollar perde complètement son statut de monnaie de réserve, son déclin pourrait obliger Washington à accepter des compromis difficiles entre la poursuite d'objectifs ambitieux de politique étrangère et le coût que représenteraient ces objectifs pour la nation. Confrontée à des taux d'intérêt élevés, à une augmentation des impôts et à un éventuel choc pétrolier, la population américaine devrait ainsi davantage mesurer les conséquences économiques d'une intervention militaire d'envergure. Et si Washington se refusait ou hésitait à agir, l'impact sur d'autres nations désireuses de voir les États-Unis jouer un rôle plus important pourrait aussi être considérable. En outre, le fait que Washington dépende financièrement de puissances étrangères pour assurer la stabilité de ses recettes fiscales pourrait entraver sa liberté d'action de manière imprévue.

Une supériorité militaire plus limitée

En 2025, les États-Unis conserveraient une puissance militaire sans égale, caractérisée par ses moyens de projection militaire à l'échelle planétaire, que les autres nations continueront à leur envier tout en comptant sur elle pour sécuriser la planète. Leur rôle de protecteur du « territoire mondial » et de la libre circulation des approvisionnements énergétiques revêtirait sans doute aussi plus d'importance face à des inquiétudes croissantes concernant la sécurité énergétique. Beaucoup d'États confrontés à l'essor de puissances nucléaires potentiellement hostiles continueront de voir dans les États-Unis un partenaire de choix pour assurer leur sécurité. Bien que l'émergence de nouveaux États possédant l'arme atomique puisse limiter la liberté d'action de Washington, la supériorité militaire de ses armements conventionnels et nucléaires et de ses capacités de défense antimissiles constituera un argument crucial pour décourager les menées agressives de ces États. Le monde attendra aussi des États-Unis qu'ils jouent un rôle conséquent dans la lutte contre le terrorisme mondial en usant de leur puissance militaire.

« L'évolution prévisible de la sécurité du monde à l'horizon 2025 pourrait remettre en question la traditionnelle supériorité de la puissance militaire américaine conventionnelle. »

Mais les adversaires potentiels de l'Amérique chercheront à faire jeu égal en développant des stratégies asymétriques destinées à exploiter ce qu'ils perçoivent comme des faiblesses politiques et militaires américaines. Dans l'avenir, certains États pourraient lancer des attaques spatiales, des attaques et des actes de piratage contre les réseaux informatiques pour déstabiliser l'armée américaine à la veille d'un conflit. Ces ennemis pourraient aussi opter pour des offensives cybernétiques et des actes de sabotage contre des infrastructures économiques, énergétiques et de transport, considérées comme une façon de circonvenir la puissance des États-Unis sur le champ de bataille en les attaquant directement chez eux. De plus, la prolifération de systèmes de missiles à longue portée, de moyens antiaccès, d'armes atomiques et autres formes d'ADM pourrait être perçue par des adversaires potentiels et même par les alliés des États-Unis comme restreignant de plus en plus leur liberté d'action, en dépit même de leur supériorité militaire conventionnelle.

• En 2025, les alliés traditionnels de l'Amérique, notamment Israël et le Japon, pourraient se sentir moins en sécurité qu'aujourd'hui. Des courbes démographiques en baisse dans leurs pays respectifs, une pénurie de ressources et une rivalité militaire plus intense au Moyen-Orient et dans l'est de l'Asie militeraient en ce sens, surtout s'ils venaient à douter de la viabilité des garanties de sécurité offertes par leur allié.

Surprises et conséquences inattendues

Comme nous l'avons clairement exposé tout au long de ces pages, les quinze à vingt prochaines années seront plus riches d'imprévus que de certitudes. Tous les acteurs – et pas uniquement les États-Unis – seront affectés par des « chocs » inattendus. Pour diverses raisons, Washington paraît plus à même d'absorber ces chocs que d'autres États, mais n'en dépend pas moins de la force et de la capacité de résistance du système international tout entier. Or nous jugeons ce système fragile et peu préparé aux implications des tendances actuelles les plus marquées : sécurité énergétique, changement climatique et multiplication des conflits – sans omettre d'inévitables surprises.

Si, par nature, les surprises sont difficiles à prévoir, nous avons essayé, à travers les scénarios proposés, de lever un coin du voile sur ce que pourrait être l'avenir, et chacune de ces fictions évoque des modifications possibles du rôle des États-Unis.

Un monde sans Occident. Dans ce scénario, les États-Unis se retirent et leur rôle est considérablement réduit. Pour traiter avec des régions instables du monde qui composent son voisinage immédiat – l'Afghanistan, la Chine et l'Inde –, l'Asie centrale doit rechercher et entretenir de nouveaux partenariats – ce sera l'Organisation de coopération de Shanghai. Le morcellement de l'ordre mondial en blocs régionaux ou de taille inférieure – sans être comparable à la scission bipolaire États-Unis/Union soviétique – serait sans doute le prélude à une ère de croissance économique et de mondialisation ralenties, de moindre efficacité dans la résolution des problèmes transnationaux, comme le changement climatique et la sécurité énergétique, et la porte ouverte à une instabilité politique plus prononcée.

La surprise d'octobre. L'absence d'une gestion efficace de solutions de compromis entre mondialisation, croissance économique et dégradation de l'environnement est imputable à beaucoup d'acteurs – et pas uniquement les États-Unis. Message implicite de ce scénario : la nécessité d'un *leadership* américain de meilleure qualité et d'institutions multilatérales plus puissantes, si le monde veut s'épargner des crises encore plus dévastatrices. Les erreurs de calcul par des tiers – les Chinois, par exemple – ont toujours un coût politique considérable, qui compliquerait singulièrement, pour les États-Unis comme pour d'autres, tout projet de développement économique plus durable, et provoquerait des conflits entre grandes puissances.

La rupture entre les pays du BRIC. Dans ce scénario, les rivalités croissantes entre grandes puissances et une insécurité énergétique grandissante entraînent une confrontation militaire entre la Chine et l'Inde. Les États-Unis sont perçus par Pékin comme favorables à l'Inde, au détriment de la Chine. La guerre est évitée, mais les protagonistes sont obligés de compter sur une nation tierce – le Brésil – pour reconstituer la trame des relations internationales. L'éclatement du BRIC renforce considérablement le pouvoir des États-Unis, mais le système international est rudement bousculé par des révoltes intérieures et les ardeurs nationalistes qu'a suscitées l'affrontement militaire.

La politique n'est pas toujours une affaire locale. Sur certaines questions, comme l'environnement, on assiste à un déplacement brutal du pouvoir des gouvernements vers des forces non étatiques. Pour la première fois, une large part de l'électorat considère qu'une coalition d'acteurs non étatiques représenterait mieux les intérêts « planétaires ». Dans ce scénario, les gouvernements doivent tenir compte de leur avis s'ils ne veulent pas en payer les conséquences politiques. Tel ne sera pas toujours le cas, car sur des dossiers de sécurité plus traditionnels, les différences de nationalités, d'ethnies, de classes, entre autres, referaient certainement surface, limitant le poids de ces mouvements politiques transnationaux. Les États-Unis, comme les autres gouvernements, doivent donc s'adapter à un paysage politique en mutation.

Le *leadership* sera la clé

Comme nous l'avons indiqué au début de cette étude, les actions humaines seront probablement un facteur déterminant dans l'évolution de la scène internationale. Historiquement, au cours du siècle dernier, nous l'avons souligné, les dirigeants et leurs idées – bonnes ou mauvaises – ont compté parmi les facteurs majeurs du changement. Ces quinze à vingt prochaines années, à titre individuel et collectif, les dirigeants de la planète vont certainement jouer un rôle essentiel dans le développement de la mondialisation, surtout pour en assurer la bonne marche. Toutes les tendances actuelles semblent s'orienter vers un monde fragmenté et conflictuel à l'horizon 2025, mais aucune issue négative n'est inévitable. Pour relever les défis planétaires et comprendre les complexités qui les caractérisent, la coopération et un *leadership* international seront indispensables. Cette étude veut contribuer à ce processus : en développant toute une série de solutions et de perspectives alternatives, nous espérons aider les responsables politiques à nous diriger sur le chemin des solutions positives.

Remerciements

Tout au long de la préparation de cet ouvrage, le Conseil national du renseignement a reçu l'aide précieuse de nombreux laboratoires d'idées, de cabinets de consultants, d'institutions universitaires et littéralement de milliers d'experts, à l'intérieur et à l'extérieur de nos gouvernements, aux États-Unis comme dans d'autres pays. Nous ne pourrions nommer ici la totalité des institutions et des individus que nous avons pu solliciter mais nous voudrions néanmoins en citer ici quelques-uns, en raison de l'importance de leurs contributions.

L'Atlantic Council of the United States et le Stimson Center ont tous deux joué un rôle important, en nous ouvrant les portes de quantité d'institutions en dehors des États-Unis et en nous permettant d'aborder des notions qui, sans eux, n'auraient pas été faciles d'accès. Le professeur William Ralston, le professeur Nick Evans et leur équipe de SRI Consulting Business Intelligence nous ont apporté leurs connaissances et leurs conseils en matière de science et de technologie. Le professeur Alexander Van de Putte (PFC Energy International) a organisé une série de réunions dans trois capitales de la planète pour nous aider à concevoir et à échafauder nos scénarios du futur. À ce titre, citons également le professeur Jean-Pierre Lehmann (Groupe Evian) à l'IMD de Lausanne, Peter Schwartz et Doug Randall (Monitor Group's Global Business Network, San Francisco). Le professeur Barry Hughes, de l'université de Denver, a fortement contribué à l'élaboration de ces scénarios avec ses projections de toutes les trajectoires possibles des grandes puissances. Les professeurs Jacqueline Newmyer et Stephen Rosen, du Long Term Strategy Group, ont monté trois ateliers qui ont été essentiels à l'avancement de notre réflexion sur les complexités du contexte qui nous attend en matière de sécurité et sur le caractère changeant des conflits. Plusieurs individus et institutions nous ont aidés à organiser des tables rondes au cours desquelles on a pu se livrer à une critique de ces premières approches ou aborder divers autres aspects plus en profondeur : le professeur Geoff Dabelki, Wilson Center ; le professeur Greg Treverton, RAND Corporation ; Sebastian Mallaby, Council of Foreign Relations ; Carlos Pascual, Brookings Institution ; le professeur Michael Auslin, AEI ; le professeur Christopher Layne, université A & M du Texas ; le professeur Sumit Ganguly, université de l'Indiana, et les professeurs Robin Niblett et Jonathan Paris chez Chatham House, à Londres. Le professeur John Ikenberry, de la Princeton Woodrow Wilson School, a organisé plusieurs ateliers réunissant d'éminents spécialistes des relations internationales, ce qui nous a aidés à comprendre certaines tendances géopolitiques en mutation. Deux ateliers – l'un organisé par le professeur Lanxin Xiang, dans le cadre du CICIR, à Pékin, l'autre par le professeur Bates Gill au SIPRI de Stockholm – ont joué un rôle déterminant en opérant la synthèse de travaux de réflexions sur les perspectives internationales et les défis stratégiques auxquels le monde est confronté.

Au sein du gouvernement des États-Unis, nos remerciements vont tout particulièrement à Julianne Paunescu, du Bureau de recherches et de renseignement du Département d'État (INR). En nous aidant à chaque étape de notre cheminement, son équipe et elle ont accompli leur mission d'exceptionnelle façon, en incitant la communauté du renseignement à s'ouvrir à des experts non gouvernementaux. Marilyn Maines et ses experts de la NSA nous ont apporté leurs compétences dans le domaine scientifique et technologique. Ils ont aussi organisé des ateliers avec Toffler Associates, qui ont permis de creuser les tendances du futur plus en profondeur. Enfin, le département Analyse et Production du Conseil national du renseignement et notamment le savoir-faire éditorial d'Elizabeth Arens ont été pour nous un soutien essentiel.

Table

ENCADRÉS

Dépôt légal : février 2009
N° d'édition : 49542/01. – N° d'impression : 09-0162

Imprimé en France

Cet ouvrage a été achevé d'imprimer en janvier 2009
dans les ateliers de Normandie Roto Impression s.a.s.
61250 Lonrai (Orne)